Martina E. Büchel

ICH MACH AUCH MEIN DING

Wer Träume leben will, muss Ängste bekämpfen

Bibliografische Information der Deutschen Nationalbibliothek

Die Deutsche Nationalbibliothek verzeichnet diese Publikation in der Deutschen Nationalbibliothek; detaillierte Daten sind im Internet über http://dnb.d-nb.de abrufbar

Dieses Buch wurde auf chlor- und holzfreiem Papier gedruckt

Titelbild: **Die Siebenschläferin erwacht**
Illustrator: Andreas Risse, Oberursel
Kontakt: Martina E. Büchel
www.ich-mach-auch-mein-Ding.de
Layout, Satz und Druck:
Bernd Reimer www.bredition.de
Frankfurt am Main
http://www.ich-mach-auch-mein-ding.de
ISBN 978-3-938266-13-9

„Ich glaube schon, dass man aus der Ferne deutlicher sieht.“

Peter Kurzeck

Angst

Für einen Moment befreit
von der Angst,
die wie eine Last
auf mir ruht;
die mich oft einengt
und fast erdrückt.
Zeit, um tief einzuatmen
und Kraft zu sammeln,
denn sie wird wiederkommen.

– geschrieben im August 1984 –

Kapitelverzeichnis

VORWORT

Ich blicke nun zurück und arbeite mich durch meine Zettelwirtschaft…

Ein Blick zurück in Dankbarkeit. Ich gehöre zu den vielen psychisch Erkrankten, die Erlebtes niederschreiben und in Gedichte und Bücher fassen. Auf diese Weise kann das Erlebte verarbeitet werden.

Ich muss an den Schriftsteller Peter Kurzeck denken und daran, wie er seinem Drang zum Aufschreiben und Festhalten der Zeit nachkommt.

Auch an Udo Lindenberg mit seiner
ICH MACH MEIN DING-Tournee,
die er mit seiner Band 2012 erfolgreich vor voll besetzten Konzerthallen absolvierte.

Der Titel wird erweitert um das Wort **„auch“** und soll mein Buch-Titel werden:

Ich mach auch mein Ding
Wer Träume leben will, muss Ängste bekämpfen.

Ich wünsche mir, dass *mein Ding* zum Lesen motiviert.

Entscheidungen

Entscheidung heißt
Ja oder Nein.
Bist du allein, will es überlegt sein,
jedoch kann es immer nur
Ja oder Nein sein.
Was, wenn ich bleibe?
Wie wird es werden?
Was, wenn ich gehe?
Was werden sie denken?

Fragen über Fragen, die sich nur mit
Ja oder Nein
beantworten lassen.

---

geschrieben während eines Au-Pair-Aufenthaltes in England 1979

Hier und jetzt: In Vornbach am Inn, zum Jahreswechsel 2012/13

Um die Jahreswende 2012/13 habe ich mich in den niederbayerischen Ort Vornbach am Inn zurückgezogen, der in der Nähe der Dreiflüsse-Stadt Passau und des oberösterreichischen Schärding liegt. Schon aus meiner Kindheit habe ich sehr gute Erinnerungen an diesen Ort. Hier werde ich meine Aufzeichnungen, die ich seit dem Aufenthalt in der Tagesstätte im Taunus - zum Teil auch schon davor - zu sammeln begonnen habe, aufarbeiten.

Biografien boomen. Ein Blick in Buchläden oder Zeitschriften beweist es. Von jeher beliebt sind historische Biografien, in denen neben einer Persönlichkeit auch ihre Lebenswelt, das Spezifische ihrer Epoche ein Gesicht erhält. Meine autobiografischen Aufzeichnungen - entstanden unter Verwendung von Zitaten aus Büchern, Magazinen, Zeitungen, von Erzähltem und Gefühltem - werden nicht als Tagebuch festgehalten, sondern als Erinnerungsfragmente, die aufzeigen sollen, was ich an Entwicklungen seit dem Aufbruch aus meiner Erkrankung durchlaufen habe. Kürzlich habe ich gelesen, dass Frauen ihr Privates eher als Männer in die Öffentlichkeit tragen. So soll es sein. Also: Das Niedergeschriebene ist keine Darstellung einer chronologischen Entwicklung. Es lässt sich deshalb auch fragmentarisch und themenspezifisch lesen.

Auch soll die Sicht der Angehörigen thematisiert werden: Mein Ehemann und Partner Thomas wird zu Wort kommen. Das Niedergeschriebene möge dazu ermutigen, Hilfe bei anderen zu suchen, wenn man selbst nicht mehr weiterweiß. Das können Ärzte, Therapeuten, Pfleger, Sozialpädagogen, Freunde, die Familie und der Ehepartner sein.

Zu meinem Vorsatz, das Erlebte aufzuarbeiten, ist der Ehrgeiz gekommen, mir auch einen Überblick über Themen zu verschaffen, die im Zusammenhang mit meiner Erkrankung stehen. So wird das Lesen von Artikeln aus den Bereichen Medizin, Lebenshilfe, Psychiatrie und Gesundheitspolitik ein Teil meiner Erfahrungswelt. So ist neben der Erzählung der Ereignisse eine Art Leselotse für psychisch Erkrankte, ihre Angehörige und Freunde entstanden. Meine Erkenntnisse, Einsichten und Erfahrungen in Bezug auf die stationäre und ambulante Psychiatrie halte ich für wichtig und mitteilenswert. Meine Aufzeichnungen sind vom christlichen Gedanken getragen und sollen Psychiatrie-Betroffenen Wege aus der Krise aufzeigen. Vielleicht kann das, was ich an Maßnahmen und Möglichkeiten beschreibe, auch anderen Impulse geben für den Aufbruch zu neuen Ufern. Ich werde von der Erfahrung getragen, dass jede Krise auch als Chance verstanden werden kann, – als eine Notbremse der Seele und als Aufforderung, auf das zu hören, was man im Innersten wirklich will.

So weit, so gut: Es ist schön, in Vornbach zu sein. Hier bin ich an einen Ort aus meinen Kindertagen zurückgekehrt. Meine Eltern, meine beiden Geschwister und ich haben viele Jahre lang die Sommerferien in Bayern bei meiner Oma, Tante, Onkel und den drei Cousinen (in Passau wohnten derer noch zwei), verbracht. Noch heute verspüre ich eine Verbundenheit mit dem Ort Vornbach und der Gemeinde Neuhaus am Inn, zu der er gehört.

Der Jahreswechsel birgt den Zauber jedes Anfangs, den Hermann Hesse in seinem Gedicht „Stufen" so schön formulierte:

„Und jedem Anfang wohnt ein Zauber inne,
Der uns beschützt und der uns hilft, zu leben."[1]

„O wie tröstlich ist es doch, bester Vater, dass du meinen Kalender für das kommende Jahr schon längst und auf das genaueste gemacht hast. So überlasse ich mich ganz deiner gütigen Vorsehung und kenne nur eine Sorge, deinen väterlichen Willen zu erkennen und zu erfüllen." P. Eberschweiler

„Der Herr krönt das Jahr mit seinem Segen."[2]

Segenswünsche werden zwar das ganze Jahr ausgesprochen, aber zum Jahreswechsel erfüllen sie unsere Herzen und segnen unsere Wege im Neuen Jahr.

---

[1] Das Gedicht „Stufen", (1941 verfasst, 1943 im Roman „Glasperlenspiel" zuerst gedruckt. Zitiert in: „Mein Hermann Hesse. Ein Lesebuch", S. 101

[2] Kath. Gesangbuch Gottes Lob 731

Kirchtürme im Nebel, Silvester 2012

An diesem Jahreswechsel, der Silvesternacht 2012, ist die Vornbacher Kirche in Nebel gehüllt. Als um Mitternacht die Glocken das neue Jahr einläuten, erlebe ich den Zauber dieses Ortes. Auf dem Weg über den Friedhof zum Dorfplatz spüre ich die Nähe Gottes und auch die meiner Oma, die auf dem Friedhof ihre letzte Ruhe gefunden hat. Besonders in der Nacht, wenn die Lichter auf den Gräbern den Weg erleuchten, da wird Gott zum Stern, der Hoffnung gibt und den Weg weist.

Diesem Stern folgten die Sterndeuter aus dem Osten in Richtung Bethlehem. Wir brauchen den Mut, dem Stern zu folgen. Gott führt uns an ein gutes und sicheres Ziel. Die Sterndeuter waren Suchende und Fragende. „Weise ist nicht der Mensch, der alles weiß, nein, weise ist der Fragende und Suchende", habe ich heute im Gottesdienst gehört. So mache ich mich auf, gehe auf die Suche und bin gespannt, wohin mich das Licht leitet, das mir scheint. Friedhelm Grund – Seelsorger in der Oberurseler psychiatrischen Klinik[3] – sagt über seinen Alltag: „Als Klinikseelsorger stehe ich immer zwischen Licht und Schatten. Manchmal will die Dunkelheit nicht weichen. Patienten berichten von Hoffnungslosigkeit und Zweifel, von Versagen und Rückschlägen. Dann sitze ich einfach da, höre zu, leide mit und klage gemeinsam mit den Patienten Gott die Not. Und doch passiert es immer wieder, dass Licht die Dunkelheit vertreibt. Nicht immer gleich, nicht immer spektakulär, aber doch so, dass ich spüre: Aus der Höhe kommt sein Licht zu uns. Dieses Licht wird allen Menschen leuchten, die in Nacht und Todesfurcht leben (*Lukasevangelium im Neuen Testament, Kapitel 1, Verse 78 und 79).*"

Krankheiten können wertvolle Signale und Anstöße zu einer neu balancierten Lebensführung geben. Daraus können schöpferische Leistungen wachsen. Die Krankheit kann ein Impuls sein, sich weiterzuentwickeln und dann auch wieder gesund zu werden. Freilich gelingt dies keineswegs immer. „**K**onzentriere dich auch verstärkt auf deine Gesundheit und nimm nicht alles so ernst. Freue dich

---

[3] Anmerkung der Autorin: Die Klinik Hohe Mark nennt sich: „fachlich kompetent – christlich engagiert."

und lache mit anderen Menschen. Das Leben birgt auch für dich noch Chancen – glaube mir bitte." (*Thomas, geschrieben am 14.09.2010*).

Durch meine Krankheit habe ich meine Lebenssituation überdacht, und in der Folge waren Veränderungen möglich. Voraussetzung war aber die tiefe Erkenntnis: Ich ganz allein muss mir helfen, und mich annehmen; und bei all dem habe ich auf den Glauben gesetzt. Auf dem Weg in die Erkrankung war mir der Glaube abhanden gekommen. Er konnte mir keinen Trost mehr spenden und keine Stärke mehr verleihen. Die Zeit, bis ich meinen Glauben wieder gefunden habe, hat sich sehr lang angefühlt.

Heute spüre ich den Heiligen Geist ganz nah bei mir. Und ich will das, was ich erfahren habe, mit Freuden an andere weitergeben. Meine Motivation, den Prozess und die Gedanken auf dem Weg aus der Erkrankung festzuhalten, wächst aus dem Gefühl des tiefen Dankes an alle, die mir in den schweren Zeiten zur Seite gestanden haben. Besonders herzlicher Dank gilt Thomas, meinem Partner. Er ist bei mir geblieben, hat an meine Genesung geglaubt und ist zu mir gestanden. Unvorstellbar, was mit mir passiert wäre, hätte er sich nicht für das Durchhalten an meiner Seite entschieden. Auch meine Eltern, Geschwister und engsten Freunde/innen haben sich nicht von mir abgewendet, obgleich ich für sie wohl eine Art Zumutung gewesen sein mag. In diesen Zeiten ist mein Partner der Stärkere von uns gewesen. Ich war sehr schwach. Heute stehe ich selbstbewusst und gestärkt als Ehefrau nach zwanzig gemeinsamen Jahren an seiner Seite. An der Beziehung müssen wir jedoch immer weiter arbeiten; auch in ihr haben sich durch meine Erkrankung viele Entwicklungen ergeben.

Wegkreuzungen

Die Kraft verspüren, alles wird seinen Weg nehmen.
Frei von der Angst, den Absprung nicht zu schaffen.
Endlich zu einer Entscheidung gekommen.
An einer Wegkreuzung angelangt.
Die Frage gestellt: Wie soll es weitergehen?
Angst hat sich breit gemacht.
Gedacht: Am sichersten ist es, stehen zu bleiben,
alles ist hier vertraut.
Letztlich die Entscheidung getroffen,
den einen Weg weiterzugehen.
Einen Weg, den ich nicht kenne, der mir aber mit jedem Schritt,
den ich weitergehe, vertrauter werden wird.
Der dann irgendwann auch wieder
an einer Wegkreuzung enden wird.

1984

„Es gibt Momente im Leben, die man als zweiten Geburtstag bezeichnen darf."

Am 17. Mai 2010 habe ich aufgrund meiner Erkrankung eine Kurzschlusshandlung unternommen und im Suizid die Lösung für mich gesucht. Ich konnte mich nicht mehr ertragen und suchte die Erlösung.

Ich möchte über den Suizidversuch nicht en détail reden. Lassen Sie mich aber über meine Gefühle dazu schreiben: Es ist selbst heute für mich schwer, mir einzugestehen, dass ich Gewalt und Aggressivität gegen mich selbst gerichtet habe. Ich kann es kaum fassen, dass ich diesen Weg gegangen bin. Der dunkelste Tag in meinem Leben. Es schmerzt, dass ich meinem Mann, meinen Angehörigen solches Leid zugefügt habe. Einsamer als zu diesem Zeitpunkt kann ein Mensch sich nicht fühlen. Permanentes Gedankenkreisen von Lebensüberdrussgedanken. Von der Welt verlassen. Mein Leben hing am seidenen Faden. Während der Zeit des Aufschreibens, der Auseinandersetzung mit dem Thema, verfolgen mich Albträume. Längst habe ich gedacht, dass das vorbei sei. Ich weiß nun, ich muss den Suizidversuch annehmen als einen Teil von mir. Auch Schamgefühle im Zusammenhang mit meinem Tötungsversuch habe ich beiseitegelegt.

Den Glauben hatte ich seit dem Ausbruch der Erkrankung im Sommer 2008 schon längst verloren. Den Heiligen Geist konnte ich nicht mehr hören. Selbst in der Stille, die mich in dieser Zeit umgeben hat, konnte ich ihn nicht hören. Es hat – aus heutiger Sicht – gar nicht so lange gedauert, bis ich den Heiligen Geist wieder erspüren und erlauschen durfte. Das Heil, mein Leben noch einmal geschenkt zu bekommen, hat mich meinem Herrn und meinem Glauben wieder geöffnet. Ich bin unendlich dankbar dafür.

Inzwischen besuche ich sporadisch den evangelischen Gottesdienst in der Klinik Hohe Mark in Oberursel. In den Gottesdiensten, die auf die Stationen übertragen werden, feiert die versammelte Gemeinde und wird dabei getragen von vielen Liedern und dem Vertrauen auf Gott, bei dem wir Hilfe finden können. Wenn ich nach dem Gottesdienst über das Klinikgelände laufe, denke ich an meinen dortigen Aufenthalt im November 2008 – als Notfall für genau zehn Tage. Da hatte ich noch einen langen und schmerzhaften Weg vor mir. Heute bin ich lebensfroh und möchte andere an meiner Lebensfreude teilhaben lassen. Leben aus dem Glauben heraus – den Heiligen Geist leise zu hören – das ist wunderbar.

Bei der Auseinandersetzung mit dem Thema Freitod habe ich festgestellt, dass in allen Zeitaltern

Priester, Dichter und Philosophen über das Thema nachgedacht haben. So sind im Alten Testament „vier Selbstmordfälle erwähnt (die bekanntesten sind jene von Samson und König Saul). Das Neue Testament erinnert uns an den Tod des Verräters Judas, der sich an einem Baum erhängte“ [4]. Und Johann Wolfgang von Goethe hat den Freitod in seinem Werk „Die Leiden des jungen Werther“ thematisiert. Im Januar 1963 erscheint unter dem Pseudonym „Victoria Lucas“ der autobiografische Roman „Die Glasglocke“ (englisch „The Bell Jar“) der Amerikanerin Sylvia Plath. Die Autorin „[...] war 31 Jahre alt, als ihr Roman [...] erschien, und vier Wochen später brachte sie sich um. „In ‚Die Glasglocke‘ erforscht Sylvia Plath nicht die Ursachen der Depression, sondern sie beschreibt den Krankheitsverlauf, und zwar auf eine außergewöhnlich anschauliche und beklemmende Weise, in einer eleganten Sprache mit zahlreichen gelungenen Vergleichen und Metaphern. Ungeachtet des bedrückenden Inhalts sind einige der Szenen komisch, aber das wirkt nicht humorvoll, sondern sarkastisch.“[5] Das Buch wurde übrigens auch verfilmt unter dem Titel „Sylvia“ mit Gwyneth Paltrow in der Titelrolle.

Deutschlandweit nehmen sich jährlich fast 10.000 Menschen das Leben – das sind weit mehr Tote als durch Verkehrsunfälle, Gewalttaten und illegale Drogen. Hinter den meisten Suizidfällen (*so ist in „Die Story im Ersten“ im Februar 2013 zu hören*)

---

[4] http://kath-zdw.ch/maria/freitod.html

[5] In: Homepage von Biograf Dieter Wunderlich, www.dieterwunderlich.de/Plath_glasglocke.htm

steht eine Depression. In der ARD-Sendung kommt der Psychiater Michael Freudenberg zu Wort: „Nur zehn Prozent der Patienten sind optimal behandelt." „Dabei" – so ist auf der Internetseite zur Sendung weiter zu lesen – „könnte den meisten Patienten geholfen werden, wenn wir besser mit der Krankheit umgehen würden. Wenn Patienten nicht ein halbes Jahr warten müssten, bevor sie endlich eine Psychotherapie beginnen können. Wenn die Pharmaindustrie neue und spannende Ansätze der Hirnforschung in neue Medikamente verwandeln würde – anstatt auf ihre mittlerweile veralteten, aber profitträchtigen Antidepressiva zu setzen. Und wenn Psychiater und Psychologen zusammenarbeiten würden, statt ihre Konflikte auf dem Rücken der Patienten auszutragen." Von den Suiziden sind natürlich auch die Angehörigen, Freunde und Kollegen als Hinterbliebene betroffen. Und es werden auch die Feuerwehrleute, Polizisten, Sanitäter und Ärzte bis hin zu den Bestattern in Mitleidenschaft gezogen. Auch Lokführer erleben oft Unvorstellbares und tragen die Bilder, die sie dabei sehen, dann ihr ganzes Leben lang mit sich herum. Das hat mir meine Therapeutin erzählt. Unter Umständen kann das dazu führen, dass diese Betroffenen ihren Beruf nicht mehr ausüben können.

Für Suizidtrauernde kann die bundesweite Selbsthilfeorganisation „AGUS – Angehörige um Suizid" eine Stütze sein, wenn man sich unter Betroffenen austauschen und gegenseitig stützen möchte. Unter den Angehörigen befinden sich auch Eltern Jugendlicher. Junge Menschen in Krisen bis zum Alter von 27 Jahren, deren Eltern oder andere Angehörige, Partner oder Partnerin, Freunde oder Freundinnen, andere Bezugspersonen, Pädagogen und Fachkräfte finden bei der Michael-Franke-Stiftung qualifizierte Hilfe.[6]

Mittlerweile gibt es im Internet zu den unterschiedlichsten Themen Blogs. Zum Thema Suizid bietet z.B. chrismon einen Blog. Hieraus zitiere ich die Regionalbischöfin Breit-Keßler im chrismon-Gespräch über den ‚Selbstmord': „Scham stellt sich ein, es ist einem peinlich, dass ‚so etwas' in der eigenen Familie passiert. Bei Gesprächen mit Trauernden habe ich es schon manches Mal erlebt, dass die Familie zunächst darum bat, die Selbsttötung der Tochter oder des Ehemannes im Gottesdienst bloß nicht zu thematisieren. Nur lange und intensive Begegnungen konnten sie überzeugen, dass Schweigen nichts besser macht – im Gegenteil. Die Art und Weise, wie ein Mensch aus dem Leben geschieden ist, zumal wenn er es ‚freiwillig' getan hat, ist wichtig für das Abschied nehmen, für die Trauer. Wer mit Schweigen oder einer Lüge beginnt, dem fällt es schwerer, als wenn er sich der Wahrheit stellt."[7]

Die Internationale Vereinigung für Suizidprävention (IASP) und die Weltgesundheitsorganisation (WHO) haben im Jahr 2003 den 10. September zum Welt-Suizid-Präventionstag ausgerufen. Es

[6] http://www.michael-franke-stiftung.de/index.html / (13.11.2009)

[7] http://chrismon.evangelisch.de/blog/im-vertrauen/schweigen-macht-nichts-besser-15397 (10.09.2013)

ist gut, dass jedes Jahr international und national eine Vielzahl von Aktivitäten stattfindet, um über Suizid und mögliche Hilfen zu informieren und so der Tabuisierung entgegenzuwirken. Denn oftmals wird nur hinter vorgehaltener Hand über einen Suizidversuch gesprochen. Auch ich habe mich lange Zeit dafür geschämt, einen Suizidversuch unternommen zu haben. Jetzt thematisiere ich ihn, auch um aufzuklären und der Stigmatisierung entgegenzuwirken. An dieser Stelle lassen Sie mich meine Gedanken zum Thema Einsamkeit äußern: Ich weiß, wie es sich anfühlt, in einer (Akut-)Psychiatrie einsam zu sein. Darauf werde ich an anderer Stelle zurück kommen. Mit dem Stigma, als psychische Kranke *(und zudem Suizidversuch-Erfahrene)* gewertet zu werden, muss man erst einmal umzugehen lernen.

Der Würzburger Suizid-Experte Armin Schmidtke – Seniorprofessor für Psychologie an der Würzburger Uniklinik für Psychiatrie – leitet das Nationale Suizid Präventionsprogramm. Im Rahmen dieses Programms wurden u.a. Empfehlungen für die Berichterstattung in den Medien erarbeitet, da ein sensibler öffentlicher Umgang mit dem Thema Suizid eine präventive Wirkung haben kann. Schmidtke äußert sich in einem epd-Interview am 5. September 2012: „Suizidgedanken zu haben, ist kein Makel. Man muss sich damit nur helfen lassen. Es ist nun einmal so, dass Menschen in bestimmten

Lebensabschnitten anfälliger sind für solche psychischen Tiefs, da muss man Prävention betreiben. Zum Beispiel, wenn der Partner stirbt, eine Arbeitslosigkeit droht – da sollte das Umfeld auch mal gezielt nachfragen und an Hilfsangebote verweisen."[8]

Die Selbsttötung des Nationaltorwarts Robert Enke hat in der Öffentlichkeit für Aufsehen gesorgt und gezeigt, dass Patienten mit schweren Depressionen oft auch Selbsttötungsgedanken haben. Die depressiven Episoden können vorübergehen und müssen nicht in einem Suizidversuch enden. Bei mir endeten sie aber mit einem Versuch, aus dem Leben zu scheiden. In dem Ratgeber „Umgang mit Psychopharmaka" (aus dem ich auch an anderer Stelle zitiere) ist zu diesem Thema Folgendes zu lesen: „Antidepressiva haben unterschiedliche Nebenwirkungen. Besonders in den ersten Wochen der Behandlung müssen alle Beteiligten – Patienten, Angehörige, Ärzte und weitere Helfer – sorgfältig auf die Gefahr suizidaler Ideen und Handlungen achten."[9]

Suizidalität begleitete mich schon zu Beginn der Erkrankung. Ich bin da hineingewachsen und habe für mich keinen anderen Ausweg mehr gesehen. Der Gedanke, mir das Leben zu nehmen, hat alle Gefühle beherrscht. Nach dem Unfall (verursacht durch meinen Suizidversuch) und der sehr

---

[8] http://www.epd.de/landesdienst/landesdienst-bayern/schwerpunktartikel/w%C3%BCrdig-beim-sterben-begleiten (17.10.2013)

[9] Margret Osterfeld, Nils Greve, Barbara Diekmann: Umgang mit Psychopharmaka, 4., akt. Aufl. 2013, S.64

langen Rekonvaleszenz habe ich erst nach und nach gelernt, die mit meiner seelischen Erkrankung verbundenen Einschränkungen der Leistungsfähigkeit zu akzeptieren. Die Krankheit muss als solche angenommen werden. Auch die Schattenseiten im Leben muss man anerkennen und zu ihnen stehen. Oft ist es so, dass Menschen, die einen Tötungsversuch überlebt haben, ihrem Leben eine neue Richtung geben. Dazu passt die Aussage, die ich in einem Gottesdienst vernommen habe: „Es gibt Momente im Leben, die man als zweiten Geburtstag bezeichnen darf." (Klinik-Seelsorgerin Annette Lenhard)

Kürzlich habe ich in einem Bella-Block-Film die Formulierung gehört: „Wenn die Seele tot ist, dann ist der Weg zum Selbstmord nicht weit." Hier wird das Wort „Selbstmord" verwendet; für mich ist das der falsche Begriff: Man kann sich nicht selbst morden, sondern man nimmt sich das Leben. Sein eigenes. Ich spreche daher bewusst von Selbsttötung.

Manfred Lütz, Psychiater und Bestseller-Autor, sagt in einem Interview mit dem Bonner General-Anzeiger: „Man muss auch wissen: Bei zehn Prozent aller Menschen, die unter einer schweren phasenhaften Depression leiden, endet die Krankheit mit dem Suizid."[10] Gefühle sind eine Gabe, die uns aber auch blockieren können. So sagt der Klinik-Seelsorger Friedhelm Grund: „Fangen Sie an,

[10] http://www.general-anzeiger-bonn.de/news/interviews/Manfred-Luetz-An-dieser-Erkrankung-ist-niemand-schuld-article218580.html (13.11.2009).

neue Gedanken zu fühlen, Ängste zu überwinden. Der Niedergeschlagenheit mit Ermutigung zu begegnen." (mitgeschrieben während eines Gottesdienstes).

Prof. Dr. med. Volker Faust von der „Arbeitsgemeinschaft Psychosoziale Gesundheit" schreibt im Internet zum Thema Depression: „Deshalb ist es so wichtig, dass sich auch Nicht-Betroffene, also Laien und zwar nicht nur Angehörige, sondern auch Freunde, Nachbarn, Berufskollegen u.a. mit diesem Thema beschäftigen. Denn die Depressiven selber sind oftmals gar nicht in der Lage, ihr Leiden als solches zu erkennen, vor allem aber anzuerkennen und schließlich die richtigen Schritte einzuleiten."[11]

Zum Abschluss dieses Kapitels soll der „Welttag der Seelischen Gesundheit", der seit 1992 jährlich am 10. Oktober stattfindet, nicht unerwähnt bleiben.[12] Es werden im Rahmen des Aktionstages bundes- und weltweit viele interessante Veranstaltungen angeboten.

---

[11] http://www.psychosoziale-gesundheit.net/psychiatrie depression.html

[12] http://www.aktionswoche.seelischegesundheit.net/aktuelles-bw-left/106-welttag-der-seelischen- gesundheit (09.09.2013).

Glaubensschritte

Viele Menschen suchen die Mitte und den Grund ihres Lebens. Sie suchen mehr und mehr außerhalb der Kirche, in der Begegnung mit anderen Religionen, wissenschaftlichen Erkenntnissen, in Psychologie und Beratung. Ich kann für mich sagen: Ich kann als Christ aus dem Glauben Kraft schöpfen. Und jeder Schritt, den ich heute mache, ist auch ein Glaubensschritt. „Keine Waffe, die gegen mich gemacht wurde, kann Erfolg haben" (*Jes 54,17*). Und jedes Gebet, das ich bete, ist ein Gebet des Glaubens. Den Glauben erlebe ich als Geschenk. Jetzt lebe ich wieder meine Zugehörigkeit zur christlichen Kirche. In katholischen oder evangelischen Gottesdiensten lebe ich meine Hinwendung zu Gott.

Die Institution „Kirche" stößt vielfach auf Misstrauen und Ablehnung. Manche suchen Gemeinschaftsformen gelebten Glaubens abseits der verfassten Kirche. Andere bahnen sich Wege ohne Gemeinschaftsbezug. Zur Betrachtung der Religionen passt folgende Äußerung des 85-Jährigen Schriftstellers Martin Walser im Spiegel:[13] „Religion ist eine Ausdrucksart wie Literatur, Malerei, Musik. Was wir den Religionen verdanken an Ausdruckswerken, das ist doch ungeheuer. Und, wenn man alles, was die Religionen in unsere Welt gebracht haben, wegdenken würde, dann wären wir kulturell in einer Wüste."

---

[13] Beyer, Susanne und Hage, Volker: „Das allerhöchste Brimborium", in: Der Spiegel 52/2012, S.132-136.

„Friede auf Erden und den Menschen Wohlgefallen." Das Weihnachtsevangelium ist für Walser „der wichtigste Text, der verfasst wurde." Feinlein – eine Figur in seinem Roman „Muttersohn" – sagt: „Der Glaube macht die Welt schöner, als sie ist." Und er treibt uns an, auf die Suche nach einem „höheren Prinzip, nach Gott" zu gehen."
Im Evangelium finden wir Ermutigung zu begründetem Zukunftsvertrauen. Zum Vertrauen auf die Zukunft gehört auch die Bereitschaft zum Aufbruch. Wenn man mit offenen Augen und Ohren durch die Welt geht, erfährt man immer wieder etwas Neues. Und lässt man sich darauf ein, dann kann man daran wachsen.

Die Mystikerin Hildegard von Bingen hat ein visionäres Werk hinterlassen. Sie war eine Pionierin der ganzheitlichen Lebensweise und gehört zu den faszinierendsten Frauengestalten des Mittelalters. Hildegard hat sich als Sprachrohr Gottes verstanden. „Sage und schreibe, was du siehst und hörst", lautete der göttliche Auftrag, den sie im Jahre 1141 in einer Vision erhielt.

Die Schauspielerin Martina Gedeck und Nikolaus Schneider, Ratsvorsitzender der Evangelischen Kirche in Deutschland, haben in einem Interview mit dem evangelischen Magazin chrismon spezial zum Reformationstag 2012 auf die Frage „Ist Glauben auch so eine Ordnung, die man üben muss?", Folgendes gesagt:

Schneider: „Ja. Glaube braucht Riten, Formen von Frömmigkeit, Wiederholung, den Rhythmus des Kirchenjahrs."

Gedeck: „Das Beten hat ja auch eine Abfolge, das Vaterunser zum Beispiel ist ein Wortraum. Wenn du sprichst, fängt er an, seinen Reichtum zu entfalten, du kannst plötzlich hineingehen in dieses Gebet, und es gibt dir unglaublich viel. Aber nicht, wenn du es einmal in zehn Jahren sprichst."[14]

Heute möchte ich mich, dankbar über meine eigene Genesung, an erkrankte und suchende Betroffene wenden und ihnen zeigen, dass es einen Weg heraus aus der Erkrankung gibt. Jede/jeder geht ihren/seinen ganz eigenen Weg. Holger Reiners, freier Unternehmensberater und ehemaliges Vorstandsmitglied im Bündnis gegen Depression, sagt: „Professionelle Hilfe ist nötig, aber gleichermaßen der Wille, die Schritte zur Genesung auch selbst zu wagen." (In: *Gesunde medizin*, 12/20123).

Im Juni 2012 führte mich mein Weg nach Miltenberg am Main. Vor der dortigen Stadtkirche St. Jakobus steht eine Zahl zu lesen: In genau 2577 Kilometern Entfernung liegt der Wallfahrtsort Santiago de Compostela, Ziel des Jakobswegs. Das

---

[14] Arnd Brummer, Anne Buhrfeind: „Es denkt in mir". Das Wort bewegt etwas, auf der Kanzel ebenso wie auf der Leinwand. Ein Gespräch zwischen Nikolaus Schneider und Martina Gedeck, in: chrismon spezial Reformation, Oktober 2012; abrufbar unter: http://chrismon.evangelisch.de/artikel/2012/%E2%80%9Ees-denkt-mir%E2%80%9C-15569 (17.10.2013).

Geleitheft für die Pilgerreise, das ich in Miltenberg gefunden habe, ist überschrieben: „Im ersten Schritt liegt der ganze Weg."

Der erste Schritt ist oft sehr schwierig, solange er noch nicht getan ist. Und manchmal scheint es unmöglich, ihn zu tun. Und – so meine Meinung – ist er schon gedacht, muss er doch erst noch gegangen werden. Jeder Schritt lohnt sich, wenn man spürt, dass man getragen wird. Sicherlich fällt es leichter, wenn man einen guten Partner oder eine gute Partnerin an die Seite gestellt bekommen hat. Der Begriff ‚Pilgern' leitet sich ab vom lateinischen ‚peregrinor' und darf übersetzt werden mit ‚in der

Fremde sein Heil suchen', habe ich in einem anderen Buch über den Jakobsweg gelesen.

Das „Heil" in der Fremde suchen. Sich auf den Weg machen und neugierig sein auf die Dinge, die einen dort erwarten. So breche ich auf, und beginne immer wieder neu damit. Gleichzeitig ist es wichtig, dass wir Zuwendung erleben. Wie der wohl bekannteste deutsche Sozialpychiater Klaus Dörner zutreffend meint: „Jeder Mensch braucht eine Tagesdosis an Bedeutung für andere Menschen."[14a]

Kürzlich sagte eine ehemalige Kollegin, die ich in den Jahren der Zusammenarbeit schätzen gelernt habe: „Trennen Sie sich von allem, was Ihnen nicht gut tut, auch von Menschen, die Ihnen über den Weg laufen." „So" – dies sind Worte, die ihr eine Jüdin mit auf den Weg gegeben hat – „wird Ihr Lebensweg leichter, da Sie sich nicht mit dem Unangenehmen aufhalten."

„Das Wagnis der Veränderung gehört ebenso zum Leben wie Verantwortung. Und Gott mutet uns Aufbrüche zu! Ich habe das selbst manchmal als schmerzhaft empfunden, und ich weiß, dass solche Aufbrüche Trauer und Zukunftsangst mit sich bringen. Aber manches Mal sind sie nötig, damit wir unsere Ziele nicht aus dem Blick verlieren. Dass Gott uns Umbrüche und Aufbrüche zumutet, aber uns

---

[14a] In: Living Oberursel, Jan./Feb. 2013, S.12-13

auch hilft, solche Wege zu gehen, davon weiß die Bibel so manche Geschichte zu erzählen."[15] (*Käßmann ist „Lutherbotschafterin" der EKD für das Reformationsjubiläum 2017*).

Mein Leben besteht aus vielen Aufbrüchen. Manchmal muss ich mich selbst kneifen, um zu spüren, dass mein neues Leben nach der Krankheit Realität ist. Ich habe mich entschieden, neue Türen zu öffnen.

Ich mach auch mein Ding

Heute, an Epiphanie – am 6. Januar 2013, am Drei-Königs-Tag – fühle ich mich berufen, „auch mein Ding zu machen". Draußen regnet es. Schneeflokken wären schöner.

In einem Song singt Udo Lindenberg: „Und ich mach' mein Ding, egal was die ander'n sagen".[16] Die ICH MACH MEIN DING-Tournee (2012) war die größte Tour, die Udo Lindenberg je absolviert hat. Panikrocker Lindenberg gründete im Dezember 2006 in Hermann Hesses Geburtsstadt Calw seine Stiftung, um diese message des „mach dein eigenes Ding" in Verbindung mit Nachwuchsförderung weiterzutragen. Die Udo-Lindenberg-Stiftung will Hesses Dichtkunst mit moderner Musik verbinden und humanitäre Projekte in Afrika unterstützen. Näheres zur Stiftung findet sich auf folgender Internetseite:
http://www.udo-lindenberg-stiftung.de.

---

[15] In: Margot Käßmann „Sehnsucht nach Leben".

[16] Studioalbum, Stark Wie Zwei, Songtitel: Mein Ding.

Meine persönliche Autogrammkarte, von Udo Lindenberg übersandt

In der Spiegel-Ausgabe 32/2012 befasst sich der Spiegel-Autor Matthias Matussek mit Hesses Werk und mit Lindenbergs Hommage an Hesses Werk. Udo Lindenberg schreibt, dass er sich bei Hesse zuhause fühle. Er ist für ihn „An-Stifter und Inspirator". Lindenberg widmet Hesse ein Lesebuch mit ausgewählten Texten – zusammengestellt von ihm und Herbert Schnierle-Lutz. Die Lektüre dieser Auswahl und die vielleicht erneute Auseinandersetzung mit Hesses Werk lohnt sich.

Wie Hesse ist auch Lindenberg aus seiner Lebenswelt ausgebrochen. Ihre rebellischen Lebensgefühle sind ähnlich. Schließlich hat auch „Lindenberg das Außenseitertum zum Beruf gemacht."[17]

Lindenberg schreibt: [Hesse] „ist weggelaufen aus der Einbahnstraße, die sie für ihn in der Schule eingerichtet hatten, hat protestiert gegen die bestehenden Zustände, hat auf einem eigenen Lebensentwurf bestanden, trotz aller Schwierigkeiten, die ihm das brachte; und ist diesen Weg lebenslang weitergegangen, uns voran. Nicht im Nachleben satter Bürgerlichkeit sollte sich sein, mein und unser Leben erschöpfen, sondern im Abenteuer, im Aufbruch ins Neuland, ins Wesentliche, im Kreativen. Damit das Mögliche entsteht, muss immer wieder das Unmögliche versucht werden, ist auch meine Devise."[18]

Die Liste von Berühmtheiten, denen man psychische Leiden nachsagt, ist sehr lang. Wahn und

---

[17] Matthias Matussek: Ich mach mein Ding, in: Der Spiegel 32/2012, S.124-132.

[18] Udo Lindenberg, „Mein Hermann Hesse. Ein Lesebuch", S.9/10.

Genie können eben nah beieinanderliegen: So wechselten beispielsweise während der letzten beiden Lebensjahre Vincent van Goghs Phasen höchster künstlerischer Produktivität mit Schüben geistiger Erkrankung, die zu Aufenthalten in der Psychiatrie führten.

Die „Sammlung Prinzhorn", die sich in den Räumen der Klinik für Allgemeine Psychiatrie im Universitätsklinikum Heidelberg befindet, ist benannt nach dem Kunsthistoriker und Arzt Hans Prinzhorn (1886-1933). Prinzhorn kam 1919 als Assistent an die Psychiatrische Klinik der Uni Heidelberg. Deren Leiter Karl Wilmanns beauftragte ihn, eine bereits bestehende kleine Kollektion künstlerischer Arbeiten von Psychiatriepatienten um Werke aus anderen psychiatrischen Anstalten zu erweitern und in einer wissenschaftlichen Studie auszuwerten. So entstand Prinzhorns Buch „Bildnerei der Geisteskranken. Ein Beitrag zur Psychologie und Psychopathologie der Gestaltung" (1922), welches dieses Thema, auch mit Hilfe einer üppigen Bebilderung, erstmals einer größeren Öffentlichkeit zugänglich machte.

Als prominentes Beispiel unserer Zeit wäre Robert Enke zu nennen. Er hat eine seelische Krise durchlebt und sich im Jahr 2009 in den Suizid geflüchtet. Nach seinem tragischen Tod wurde die Robert-Enke-Stiftung gegründet; sie unterstützt Projekte, Maßnahmen und Einrichtungen, die über Herzkrankheiten von Kindern sowie über Depressionskrankheiten aufklären - und deren Erforschung oder Behandlung dienen. Im März 2013 erschien der Ratgeber „Depressionen im Sport". In ihrem Vorwort würdigte Teresa Enke als Vorstandsvorsitzende die Bedeutung des Buches, das in enger Zusammenarbeit mit der Robert-Enke-Stiftung entstanden ist.

Ich höre immer wieder von Menschen aus meinem persönlichen Umfeld, denen es ähnlich ergangen ist. Auch der eigensinnige Hesse hat Zeiten depressiver Episoden gekannt und einige Zeit mit einer Psychoanalyse zugebracht. „Die er mit einem ‚engen und höllischen Tunnel' vergleicht, durch den er nicht werde kriechen können, ‚ohne verändert und durchgeknetet drüben herauszukommen'."[19] „Eine Tugend gibt es, die ich sehr liebe, eine einzige: Sie heißt Eigensinn", schrieb Hesse 1917 in „Eigensinn".[20]

Heimo Schwilk, Autor der Biografie „Hermann Hesse. Das Leben des Glasperlenspielers", schreibt: „Er [Hesse] muss unglücklich sein, um schreiben zu können. Mit dem Selbstmord flirtete Hesse über Jahrzehnte und erläuterte im Steppenwolf plausibel (und mit selbstironischem Dreh), dass es Selbstmörder gibt, die sich dennoch nicht das Leben nehmen. Während andere sich zufällig umbringen, ob-

---

[19] Volker Michels (Hg.): Hermann Hesse: Tessin, Frankfurt a.M. 9. Aufl. 1993, S. 293.

[20] Udo Lindenberg, „Mein Hermann Hesse. Ein Lesebuch", S.33.

wohl das Selbstmördertum nicht zu ihrem Wesen gehört."[21] Der Gedanke an den Freitod ist Hesse ein lebenslanger Begleiter geblieben. Er hat ihn auch in seinen Werken verarbeitet, und doch ist er eines natürlichen Todes gestorben. In einer schlaflosen Nacht hat Hesse ein Gedicht verfasst, in dem zu lesen ist:

„Ich wäre schon lange gestorben, aber die Neugierde hält mich wach" *(S. 95 in Udo Lindenbergs Lesebuch: „Mein Hermann Hesse")* .

Hesse hat Großartiges und Bleibendes geschaffen. Er gehört fünfzig Jahre nach seinem Tod zu den auflagenstärksten Schriftstellern der Welt. Er hat viele Aufbrüche hinter sich gebracht, sich von Wegbegleitern getrennt und Neuland betreten.

[21] Heimo Schwilk: "Hermann Hesse. Das Leben des Glasperlenspielers", München 2012.

Wie fühlt sich eine Betroffene in der Psychiatrie?

Am 1. Mai 2012 brechen Thomas und ich zu einem Ausflug in den Taunus auf. Die Fahrt geht durch das Obere Weiltal vorbei an Dörfern und in Heinzenberg vorbei an einem Gladiolen-Feld. Von hier hat Thomas mir mehrmals Gladiolen in die Klinik gebracht. Gladiolen hat Thomas gestern auch auf meinem Stück Land im Interkulturellen Garten gepflanzt.

Da schließt sich nun der Kreis: In einer psychiatrischen Klinik im Taunus nahm alles seinen Anfang. Dort hatte mich meine Ärztin eingewiesen. Heute denke ich noch an die Seelenqualen, die ich ausgestanden habe, als mich Thomas mit dem Auto in die Klinik gefahren hat. Die Vorstellung, in einer „Klapse" zu sein, war für mich unerträglich. Die Fahrt ist noch heute in meiner Erinnerung lebendig. Zu diesem Zeitpunkt stand ich bereits unter Tabletteneinfluss und rutschte im Auto auf dem Sitz hin und her. Auch die Tür wollte ich öffnen und aus dem Auto springen. Das wusste Thomas aber zu verhindern, indem er die Kindersicherung betätigte. Im Eingangsbereich zur Aufnahme bin ich wie eine „Durchgeknallte" hin und her gelaufen, habe laut und aufgeregt geschrien: „Ich will da nicht rein…" Die ersten Tage auf der Station waren besonders anstrengend. Die Mitpatienten nahmen mich als Neue ins Visier, und ich musste mich in den Klinikalltag einleben. Es war nicht daran zu denken, dass ich mich auf die Therapien einlasse. Durch Tabletten wurde ich ruhiggestellt. Die Anwesenheit teils schwer erkrankter Patienten, die ich den ganzen Tag ertragen musste, war meiner Genesung nicht förderlich. Es machte mir auch Angst, die Schreie und die Unruhe anderer Patienten zu ertragen. Meine Gedanken kreisten um Suizid – und dies schon in den ersten Tagen meines Klinikaufenthaltes. Auch habe ich eine suizidale Zimmernachbarin erlebt: In der Nacht hat sie versucht, sich die Pulsadern an Hals und Händen mit einer Nagelschere aufzuritzen. Ich habe davon nichts mitbekommen. Erst als ich wach wurde, habe ich die Pfleger in Aufregung erlebt und erfahren, was passiert war.

In der Backstein-Klinik (ich nenne sie so, weil sie aus dem 19. Jahrhundert stammt) war ich vom 3. September bis zum 7. November 2008. Obligatorische zwölf Wochen, die meine Kassenkasse übernommen hat. Im Anschluss geplant: der berufliche Wiedereinstieg. Alles kam anders: Der erste Arbeitstag fand erst am 2. Mai 2012 statt. Einige Tage davor erzähle ich meiner Therapeutin: „Ich weiß, was ich künftig arbeiten werde. Von den einzelnen Arbeitsabläufen habe ich noch keine Ahnung. Es wird schon alles seinen Lauf nehmen. Eine gewisse Aufregung ist doch selbstverständlich. Schließlich bin ich seit August 2008 nicht mehr beruflich tätig gewesen."

Entspannt habe ich heute in einem Eiscafé im Taunus meinen Apfelstrudel mit Eis und Sahne genossen. Ein gutes Gefühl. Einen Tag vor dem Beginn des neuen Lebensabschnitts, dem Schritt zurück in die Arbeitswelt. So wie meine Setzlinge auf unserer Loggia wachsen, und sich in die Sonne drehen, werde ich hoffentlich auch wieder in die Arbeitswelt hineinwachsen.

Ich wurde öfters gefragt, wie es sich anfühlt, in einer psychiatrischen Klinik, in der Psychiatrie, zu sein? Wenn ich an eine Klinik denke, deren Namen ich hier nicht nennen möchte, machen sich bei mir schlechte Gefühle breit. Gleiches kann ich über einen Arzt berichten. Jede/r Betroffene/r macht so seine eigenen Erfahrungen mit psychiatrischen Einrichtungen und dem Personal. Den Themenkreis Psychiatrie habe ich mittels Bücher, Zeitungsartikeln, Ratgeber-Literatur, Internet-Recherche und schließlich durch Therapiestunden aufzuarbeiten begonnen. Auch die vielen Gespräche, die ich mit meinem Partner Thomas geführt habe, haben mir weitergeholfen. Dabei ist es jedoch nicht selbstverständlich, dass man sich als Betroffene/r vom Partner verstanden und bei ihm aufgehoben fühlt. Bei mir ist es so gewesen.

Da ich selbst eine Psychiatrie-Erfahrene bin – das habe ich den meisten Ärzten, Therapeuten, Sozialarbeitern und Pflegern voraus – kann ich mir ein Bild vom Leben in psychiatrischen Einrichtungen machen. Ich lege aber auch Wert auf die Feststellung, dass dies meine subjektive Sicht der Dinge ist. In vielen Ratgeber-Büchern und Erfahrungsberichten werden Psychiatrien beschrieben. So habe ich u.a. auch den Klassiker „Ich habe dir nie einen Rosengarten versprochen“ gelesen. (1964 ist der Roman in der amerikanischen Originalausgabe, 1973 zum ersten Mal in deutscher Übersetzung erschienen. Im Jahre 1977 wurde das Buch von dem US-amerikanischen Regisseur Anthony Page verfilmt). Unter dem Pseudonym Hannah Green schildert die Autorin in diesem ermutigenden autobiografischen Roman den mühsamen Kampf von Deborah Blau um ihre Heilung. Sie schöpft dabei aus eigenen Erfahrungen in einer psychiatrischen Klinik. In diesem Roman habe ich viele Beschreibungen und Gefühle gefunden, mit denen ich mich identifizieren kann.

„Jetzt beobachtete er [der Pfleger] die Patientinnen, wie sie dastanden und auf das Abendessen warteten, auf die Dunkelheit warteten, auf die Beruhigungsmittel warteten, auf den Schlaf warteten.“ Als ich auf einer Geschlossenen ‚eingesperrt‘ war, habe ich auch solche Gefühle verspürt. Voller Unruhe und Leere bin ich in den Gängen hin und her gelaufen. Schreie, Wehklagen, Niedergeschlagenheit und Hoffnungslosigkeit erfüllten die Räume der Station. „Die Station voller Menschen – Personal, Patienten – und doch alleine. Jeder zieht seine Runden ... Nirgendwo bist du so alleine wie auf einer Akutstation."[22] Auch ich habe mich oft zutiefst traurig und einsam gefühlt, nicht nur auf Akutstationen! Es existierten in meinem Kopf nur solche Einsamkeits-Gefühle: Da ist niemand, dem du dich anvertrauen kannst; du bist alleingelassen. Selbst Thomas konnte mir in solchen Phasen dieses Gefühl nicht nehmen.

Im Zusammenhang mit Akutstationen kann ich folgendes Erlebnis berichten. Ort: Geschlossene in einer Backstein-Klinik. Ich habe Ausgang und die Tür wird aufgeschlossen. In Begleitung meiner Zimmernachbarin aus Eritrea gehe ich in die Parkanlage der Klinik. Kaum sind wir ein paar Meter von der Tür entfernt, sehen wir, wie an dem anderen Ausgang der Station 4 die Tür gewaltsam und lautstark aufgebrochen wird. Heraus stürzt ein aufgebrachter männlicher Patient mit einem Schraubenzieher oder Ähnlichem in der Hand. Wir stehen fassungslos da und schauen dem Schauspiel zu. Der Flüchtling rennt indes an uns vorbei... Ich bin mir wie eine Statistin in einem Film vorgekommen.

Auf einer offenen Station waren auch Borderline-Patienten untergebracht. Es stimmte

[22] Silvia Bauch: „Nirgendwo bist du so alleine wie auf einer Akutstation", in Brückenschlag, Bd. 29/2013, S. 65.

mich traurig zu sehen, wie die Arme einiger Patienten vom einen auf den anderen Tag aufgeritzt waren. Beobachtet habe ich das während der Essenszeiten. In einer Klinik wurde das Essen für die Patienten lieblos aus großen Schüsseln auf kleinere verteilt und auf den Tisch gestellt. Oft genug war es fast kalt, als wir zum Essen kamen, und auch die Qualität ließ sehr zu wünschen übrig.
„Allein die Vorstellung, daß ein Gebäude aus Hunderten von Räumen besteht, in denen hohe Eisenbetten wie Inseln stehen, bedrückt mich. Jedes Bett eine Insel des Leidens von blankgewichstem Linoleum wie von Wasser umgeben. Inseln, auf denen geschwitzt, geseufzt, gefiebert, gestöhnt, geblutet, gebrochen und gestorben wird. Inseln der Hoffnung und der Verzweiflung. Inseln, auf denen man plötzlich und meist unvorbereitet sich selbst überlassen wird, auf denen man seinen Gedanken in einem Ausmaß ausgeliefert ist, daß man aufspringen und nach draußen laufen möchte, egal wohin." Die großen Wachsäle gehören längst der Vergangenheit an. Heute sind die Patienten meist in Drei-, Zwei- oder auch Einbettzimmern untergebracht.

Die Gebäude der Psychiatrien, in denen ich als Patientin behandelt wurde, stammen alle aus der Gründerzeit und sind im Stil dieser Zeit gebaut. Ich habe sie als düster und überaltert empfunden. So sind beispielsweise die sanitären Verhältnisse katastrophal. Und es gibt kaum Rückzugsmöglichkeiten,

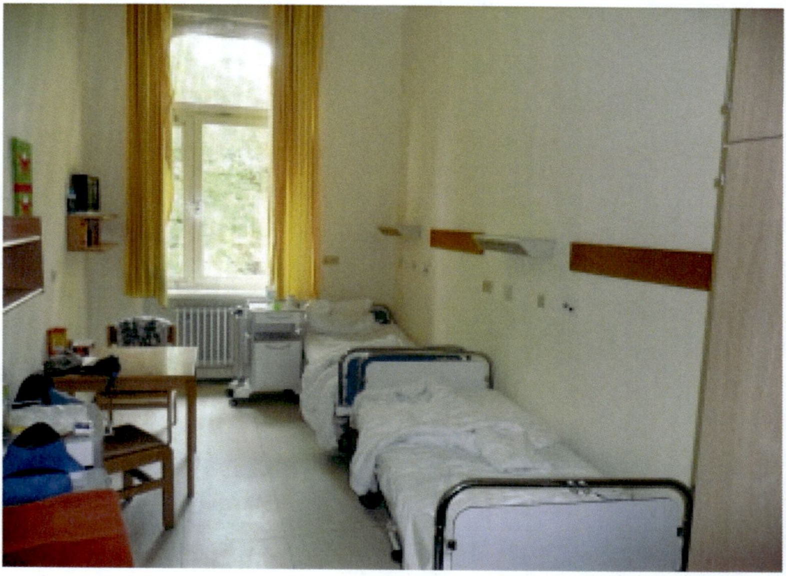

Ohne Worte

obwohl psychisch erkrankte Patienten Privatheit nötig haben. Die Aufnahme eines der Zimmer, in denen ich gewohnt habe, spricht Bände.

Auch ich habe mich oft in mein Bett zurückgezogen, in der Hoffnung, dass die Pfleger mich dabei nicht erwischen. Das war tagsüber nämlich nicht erlaubt. Wie ein Tiger im Käfig bin ich an manchen Tagen auf den Gängen der Klinik herumgelaufen. Lange Zeit verbrachte ich hinter verschlossenen Türen, war eingesperrt, wurde gemaßregelt und stand in Abhängigkeit vom Pflegepersonal. Für jeden Ausgang benötigte ich eine Erlaubnis. Wie soll sich der Erkrankte in Abhängigkeit geborgen und aufgehoben fühlen? Ähnlich fühlte ich mich bei der Vergabe der Medikamente, die täglich drei- bis viermal stattfand. Oft hat es mich sehr große Überwindung gekostet anzustehen, um meine Medikamente zu bekommen. Selten genug gab es Aufklärung über die verordneten Medikamente, deren Dosierung und Wechselwirkungen. Eigentlich – so sollte man meinen – müsse der Patient einen rechtlichen Beratungsanspruch haben. Dem ist nicht so: Ich habe in den Kliniken im Laufe meiner Erkrankung den Eindruck gewonnen, dass ein psychisch Kranker weniger Aufmerksamkeit als ein anders Erkrankter findet.

Die regelmäßige Einnahme war Pflicht und wurde streng kontrolliert. Für alles gibt es einen Katalog, nach dem die Behandlung abgerechnet werden kann. Therapiegespräche mit den Ärzten und Psychologen haben nur in einem geringen Umfang stattgefunden. Ich erinnere mich, dass ich phasenweise die therapeutischen Maßnahmen gar nicht bei klarem Verstand absolviert habe. Die beruhigende, allgemein dämpfende Wirkung eines Arzneimittels nennt man sedierende Wirkung. Die Folge: der Patient ist müde, initiativlos und fühlt sich wie ‚unter einer Glasglocke' stillgestellt. „Ich [Esther Greenwood] wußte, ich hätte Mrs. Guinea dankbar sein müssen, nur empfand ich nicht das mindeste, es hätte für mich nicht den geringsten Unterschied gemacht, denn wo immer ich saß – auf dem

Deck eines Schiffes oder in einem Straßencafé in Paris oder Bangkok – immer saß ich unter der gleichen Glasglocke und schmorte in meiner eigenen sauren Luft."[23]

Die Krankenhausatmosphäre, wie ich sie in den Psychiatrien vorgefunden habe, lässt sich sicherlich nicht so ohne weiteres ändern. Die Behandlung von seelisch Erkrankten ist wegen der Obhuts- und Sorgfaltspflicht wahrscheinlich auch nur schwer reformierbar. Doch diese Zustände gehören auf den Prüfstand, da ist auch die Gesundheitspolitik gefordert.

In Greens Buch wird anschaulich das Verhältnis der schizophrenen Patientin Deborah zu anderen Betroffenen, den Pflegern und Ärzten beschrieben. An einer zentralen Stelle sagt die Ärztin zu ihr: „Ich habe dir keinen Rosengarten versprochen." Will heißen: Deborah, du hast noch einen langen, qualvollen Weg vor dir. Dies ist auch Deborahs zentrale Erkenntnis: auch von einer Geisteskrankheit kann man genesen, aber der Weg dahin kann sehr lang sein. Auch ich musste einen langen und schweren Weg zurücklegen und mir die Lebensfreude wieder zurückerobern. Lange Zeit konnte ich beim Spazierengehen über das Klinikgelände die Schönheit der Natur nicht in mich aufnehmen. Der Zugang zur Natur, den Menschen und zu Örtlichkeiten – alles musste ich mir mühsam wieder erarbeiten. In

---

[23] Sylvia Plath: Die Glasglocke, Suhrkamp Verlag 1985, S.179.

den Kliniken täglich die Morgenrunde: Oft habe ich Empfindungen zusammengedichtet, die ich nicht wirklich hatte. Schließlich konnte ich nicht immer über meine Stagnation, mein Auf-der-Stelle-Treten berichten. Die Ärzte, Therapeuten und Pfleger konnten lange Zeit keine Fortschritte erkennen. Nie hätte ich gedacht, dass stationäre Aufenthalte so lange Zeit zu meinem Leben gehören würden.

Während der Zeit in den verschiedenen psychiatrischen Kliniken habe ich viele Menschen mit den unterschiedlichsten Lebensläufen kennengelernt. Dazu gehört auch das Schicksal einer Frau meines Alters, die aus Eritrea nach Deutschland kam und hier zunächst Asyl und dann eine neue Heimat fand. Sie war in psychiatrischer Behandlung, weil sie u.a. von Ohnmachtsanfällen und Schüttelattacken geplagt war. Ihr Körper übernahm, was ihre Psyche nicht allein bewältigen konnte. Als sie sich mir gegenüber geöffnet hatte, vertraute sie mir in gebrochenem Deutsch an, dass sie als Kindersoldatin in Äthiopien gekämpft habe. Unvorstellbar, welch ein Bündel Leid diese Frau mit sich herumgetragen hat. Ich habe nach unserem Klinikaufenthalt noch eine Zeit lang mit ihr in Kontakt gestanden; und bin auch einmal bei ihr zuhause gewesen. Den Kontakt zu mir hat sie aber bald danach abgebrochen. Schade – vielleicht hat sie es nicht ertragen, dass ich über die dunklen Seiten aus ihrer Vergangenheit Bescheid wusste.

An dieser Stelle möchte ich einen Text aus der sogenannten Betroffenen-Literatur mit dem Titel „Depression. Rückzug aus dem Leben“ zitieren: „Einweisung als Notfall, telefonisch verfügt von meinem Arzt, praktisch durchgeführt von meinem Mann. Nach zweieinhalb Wochen schien ich geheilt. Nach fünf Wochen wurde ich entlassen. Doch dann – ein Vierteljahr später – kam der Rückfall, und ich musste noch einmal ins Krankenhaus. Diesmal für viereinhalb Monate.“[24]

Die Autorin, Katharina Bareiter, berichtet in ihren Aufzeichnungen offen u.a. über den Klinikalltag, die verschiedenen Therapien, die Ängste und Rückschläge. Und schließlich auch über die mühevollen Schritte auf dem Weg zur Genesung. Auch ich habe Ähnliches erfahren. Einweisung in eine Psychiatrie durch meine Ärztin: Diese Maßregelung zu erfahren – einfach nur furchtbar.
In der Bundesrepublik Deutschland haben die einzelnen Bundesländer Gesetze über „Schutz“ und „Hilfen“ für psychisch kranke Menschen erlassen. Sie sollen „das Recht psychisch Erkrankter, ein eigenverantwortliches und selbstbestimmtes Leben in der Gemeinschaft zu führen, sicherstellen, aber die zuständigen Behörden auch ermächtigen, im Falle akuter Selbst- oder Fremdgefährdung den Erkrankten gegen seinen Willen in einem psychiatrischen Fachkrankenhaus unterzubringen.“[25]

---

[24] Katharina Bareiter: Depression. Rückzug aus dem Leben, Frankfurt a.M. 1992, S. 7-8.

[25] http://de.wikipedia.org/wiki/Psychisch-Kranken-Gesetz (15.09.2013).

Der amerikanische Psychiater Thomas Szasz gilt als Gegner der Zwangspsychiatrie.[26] Schon in den sechziger Jahren des 20. Jahrhunderts argumentierte er, dass Geisteskrankheiten nicht existieren. Zwangsbehandlung von Kranken sei unzulässig. Die Zwangseinweisungen in psychiatrische Kliniken verurteilte er als Verletzung der Menschenrechte.

Bis Juli 2012 gab es in Deutschland die Möglichkeit, z.B. Schizophrenie-Patienten einer Zwangsbehandlung mit Psychopharmaka zu unterziehen. Dann stellte der Bundesgerichtshof fest, dass solche richterlich angeordneten Zwangsmedikationen vom Grundgesetz nicht gedeckt waren. Im Januar 2013 haben die beiden Regierungsfraktionen von CDU/CSU und FDP mit Zustimmung der SPD eine gesetzliche Grundlage geschaffen und die medikamentöse Zwangsbehandlung von Patienten wieder genehmigt. Das neue Gesetz benennt auch eine Reihe weiterer rechtlicher Voraussetzungen für eine Zwangsbehandlung: Das sind u.a. eine richterliche Genehmigung, ein Verfahrenspfleger und ein Gutachten, das ein anderer als der den Patienten betreuende Arzt erstellt haben muss.

In Rekordzeit hat das neue Gesetz den Bundesrat passiert. Viele Psychiater begrüßen den Vorstoß. So auch Jutta Muysers, ärztliche Direktorin der psychiatrischen LVR-Klinik Langenfeld. In einem

---

[26] Vgl. dazu „Psychosoziale Umschau 01/2013".

Beitrag der Deutschen Welle beschreibt sie die bisherige Lage: „,Im Moment gibt es keine gesetzliche Regelung. Das führt dazu, dass jeder zu wissen meint, wie es richtig geht – Patienten, Angehörige, Psychiater'. Jetzt hofft Muysers auf eine klare Regelung, an die sich Psychiater im Arbeitsalltag halten können. Fakt bleibe, dass viele Patienten einer Behandlung etwa mit Psychopharmaka nicht zustimmten, auch wenn dies nach Einschätzung der Ärzte nötig sei. Muysers verteidigt die Zwangsbehandlung."[27] Viele Betroffene und Patientenverbände wie beispielsweise der Bundesverband der Psychiatrie-Erfahrenen und der Antipsychiatrieverband lehnen die Zwangsbehandlung generell ab.

Der Fall Gustl Mollath hat bundesweit für Aufsehen gesorgt. Ich will den Fall Mollath hier nicht in seiner gesamten Komplexität darstellen; ihn aber im Zusammenhang mit dem Thema Zwangspsychiatrie nicht unerwähnt lassen. So sehr der Fall lehrt, dass sie dazu geraten kann, sei aber auch gesagt: „Psychiatrie ist auch nicht ,im Kern Zwangspsychiatrie', ist auch nicht immer Instrument politischer Gewaltausübung."[28] Es gibt immer zwei Seiten einer Medaille. An dieser Stelle finde ich auch die Handreichung der Diakonie Deutschland (Diakonietexte 02/2013) zu Zwangsmaßnahmen erwähnenswert. Sie richtet sich an alle, die mit Zwangs-

---

[27] http://www.dw.de/streit-um-psychiatrische-zwangsbehandlungen/a-16536049 (17.10.2013).

[28] Homepage der Walter-von-Baeyer-Gesellschaft für Ethik in der Psychiatrie e.V. (15.09.2013).epd sozial, Nr. 33, 16.08.2013, S. 4.(17.10.2013).

behandlungen und Unterbringung von Menschen mit psychischen Erkrankungen zu tun haben. Die Broschüre steht im Internet als PDF-Dokument kostenlos zur Verfügung (*Hinweis gelesen in:Treffpunkte Frankfurter Zeitschrift für Gemeindepsychiatrie 3/13, S. 27*).

Eine weitere gesetzliche Änderung, die mit Beginn des Jahres 2013 greift, soll hier auch Erwähnung finden: Ab diesem Zeitpunkt können psychiatrische Einrichtungen freiwillig auf ein neues pauschalierendes Entgeltsystem in Psychiatrie und Psychosomatik (PEPP) umstellen. Ab 2015 soll dieses Entgeltsystem dann zur Pflicht werden. Dann sollen die Kliniken pauschal nach Fall, und nicht mehr nach Aufwand, bezahlt werden. Die ärztliche Direktorin, des Vitos Klinikums Rheingau, Sibylle Roll, meint dazu: „Der Fehlanreiz des neuen Entgeltsystems ist, die Verweildauer des Patienten zu verkürzen. Das ist in der Psychiatrie ein Desaster, weil wir Zeit für unsere Patienten brauchen." Gegen das neue Finanzierungssystem in psychiatrischen Kliniken hat sich inzwischen ein breiter Widerstand formiert. „Einen Aufruf der Initiative ‚Weg mit PEPP' haben nach Angaben des Bündnisses bislang mehr als 2.000 Organisationen und Einzelpersonen unterzeichnet. Dem Bündnis gehören neben Ärzte- und Patienten-Verbänden unter anderem der Paritätische Wohlfahrtsverband und die Gewerkschaft ver.di an."[29]

---

[29] epd sozial, Nr. 33, 16.08.2013, S. 4.

Auch ich bin durch Ärzte und Pfleger zwangsbehandelt worden: Auch eine Unterstellung unter einen Richter wurde zwangseingeleitet und ist nicht mit meinem Mann abgestimmt worden. In dieser Situation bin ich dem Ungetüm Psychiatrie hilflos gegenüber gestanden; und ich habe mich dem Apparat ausgeliefert und von der Gesellschaft ausgegrenzt gefühlt.

Durch die Zwangseinweisung soll verhindert werden, dass Gefahr für die Gesundheit des Patienten entsteht. In einer Meldung auf Focus Online (17.01.2013) ist zu lesen, dass „Etwa 1,2 Millionen Menschen jedes Jahr stationär in psychiatrischen Einrichtungen therapiert werden." Und, dass „Etwas mehr als zehn Prozent davon gegen ihren Willen dort landen." Auch sei unklar, „wie viele Patienten in solchen geschlossenen Stationen ohne ihre Zustimmung Medikamente bekommen oder andere medizinische Eingriffe über sich ergehen lassen." Nun soll eine spezielle Patientenverfügung (PatVerfü) garantieren, dass psychisch kranke Menschen nicht gegen ihren Willen in psychiatrische Kliniken eingewiesen werden. Schirmherrin der Initiative ist die Sängerin Nina Hagen. Der Hinweis darauf soll genügen. Ich möchte keine Stellungnahme dazu abgeben, das würde den Rahmen meiner Betrachtungen sprengen.

Zum Schluss meiner persönlichen Einschätzungen der psychiatrisch-medizinischen Kliniken soll nicht unerwähnt bleiben, dass es auch viele Betroffene ohne den Gang in die Psychiatrie, ohne einen stationären Aufenthalt, schaffen, mit der seelischen Erkrankung leben zu lernen. Sie haben ihre eigenen Inseln gefunden, auf denen sie sich regenerieren können.

Oftmals können ambulante Angebote wie die Tagesstätten psychosozialer Vereine solche Inseln sein und es den Betroffenen ermöglichen, im Jetzt aufgehoben zu leben. Auch Betreutes Wohnen und Wohngemeinschaften bieten Modelle der akuten psychiatrischen Behandlung zu Hause an. Es sei auch angemerkt, dass es Kritiker des Betreuten Wohnens und Arbeitens gibt, die das Argument vorbringen, dass dadurch keine Selbständigkeit erlernt werden kann. Aber oftmals ist dies wenigstens ein Anfang, um als seelisch kranker Mensch mit Unterstützung in der Gesellschaft zu leben.

Auch Sozialpsychiatrische Dienste bieten Unterstützungsmöglichkeiten für Betroffene und ihre Angehörigen an. Rat finden Erwachsene, die an einer psychischen Erkrankung leiden und mit sich und ihrer Umgebung nicht mehr zurechtkommen, aber auch Menschen, die nach einer Entlassung aus einer psychiatrischen Klinik Unterstützung benötigen, und schließlich Angehörige, Freunde und

Bezugspersonen, die Beratung für den Umgang mit psychisch leidenden Menschen wünschen. Die Beratung und Betreuung ist kostenlos und unterliegt der Schweigepflicht; die Betroffenen können persönlich vorsprechen oder einen Hausbesuch vereinbaren.

Zum Schluss möchte ich anfügen, dass es vielleicht auch für mich gut gewesen wäre, hätte ich am Beginn meiner Erkrankung den Weg in eine psychosoziale Kontakt- und Beratungsstelle gefunden. Durch die ambulante Betreuung durch geschultes Personal und entsprechender Medikation wäre mir vielleicht der Weg durch lange und furchtbare Klinikaufenthalte erspart geblieben. Vielleicht ist die Erkrankung aber zu diesem Zeitpunkt schon zu weit fortgeschritten gewesen...

Die Tatsache, dass der Kassenpatient in der Regel nur begrenzte Möglichkeiten hat, selbst die Klinik für seinen Klinikaufenthalt auszuwählen, erschwert es, alternative Wege zu gehen. Ich möchte aber dazu ermutigen, sich nach Alternativen umzuschauen und in Abstimmung mit dem behandelnden Arzt dafür zu kämpfen, dass man in einer geeigneten psychiatrischen Einrichtung untergebracht wird. Die Ärzte werden gerne als „Halbgötter in Weiß“ betrachtet. Der Medizinprofessor Dietrich Grönemeyer meint dazu: „Und dem einen oder anderen mag das vielleicht gefallen. Aber täglich müssen wir Ärzte erleben, dass unser aller Schicksal –

High-Tech-Medizin hin oder her – am Ende noch immer in der Hand der Natur liegt – oder für Gläubige in der Hand unseres Schöpfers" (in 3/2013 **zeit**zeichen, S. 45).

Psychisch krank und Psychopharmaka

Im Folgenden referiere ich über Psychopharmaka aus der Perspektive einer Betroffenen, die aufgrund ihrer Erkrankung reichliche Erfahrungen im Umgang damit hat.
In der Broschüre „Psychiatrische Krankheitsbilder", die der Verein „Hilfe für psychisch Kranke" Bonn/Rhein-Sieg für Psychiatrie-Betroffene herausgebracht hat, heißt es:
„Wenn man davon spricht, dass jemand ‚psychisch krank' sei, dann ist das ungefähr so, als ob man sage, jemand sei krank, weil er ‚Bauchweh' habe. Bauchweh sagt nichts darüber, ob seine Leber, sein Magen oder etwa sein Darm erkrankt sind. Es gibt – wie in jedem medizinischen Bereich – ganz verschiedene Krankheitsbilder. Jedes hat eigene Symptome, schafft eigene Probleme und braucht seine ganz besondere Behandlungsweise. Die Diagnose einer seelischen Erkrankung erfolgt über das Gespräch, über die Beobachtung des Betroffenen, über den Bericht der Angehörigen sowie über seine Leidens- und gelegentlich auch über seine ganz überzogenen Glücksbekundungen."[30]

[30] Verein „Hilfe für psychisch Kranke" Bonn/Rhein-Sieg (Hg.), Psychiatrische Krankheitsbilder" o.O., o.J., S.2.

Psychische Erkrankungen werden in der Internationalen Klassifikation der Krankheiten (ICD, die aktuell gültige Version ist ICD-10; von der Weltgesundheitsorganisation herausgegeben) als Psychische und Verhaltensstörungen beschrieben. Dort finden sich Krankheitsbilder wie Depression, manisch-depressive Erkrankungen, Angststörungen und Schizophrenie. Das internationale Krankheits-Klassifikationssystem ICD ist mit dem deutschen DSM (Diagnostisches und Statistisches Handbuch Psychischer Störungen) weitgehend kompatibel. Das von Experten erarbeitete DSM wurde erstmals 1952 in den USA herausgegeben und soll dazu dienen, Diagnosen reproduzierbar zu gestalten. Die Klassifikation wurde entwickelt, um die Diagnose und Heilung zu erleichtern, weswegen das Namensverzeichnis heute in Kliniken und Versicherungsgesellschaften gebräuchlich ist. Das Buch ist jedoch umstritten. Der Amerikaner Allen Frances (inzwischen emeritierter Prof. für Psychiatrie an der Duke University in Durham, North Carolina), der zu den einflussreichsten Psychiatern weltweit zählt und einen prägenden Einfluss bei den Versionen DSM III-R und DSM-IV hatte, geht hart mit der Pharmalobby zu Gericht und spricht in seinem Buch „Normal – Gegen die Inflation psychiatrischer Diagnosen“ (erschienen in Deutschland bei DuMont Buchverlag 2013) von Gefahren, die das neue Handbuch für Diagnosen birgt. Auch andere Experten fürchten eine Zunahme der Diagnosen. Außerdem wird die Abhängigkeit der Experten von der Pharmaindustrie kritisiert. Im Spiegel (4/2013) wird der SPD-Gesundheitspolitiker Karl Lauterbach zitiert: ‚Das DSM-5 treibt die weltweite Psychiatrisierung von außergewöhnlichen Verhaltensweisen voran' sagt er. Aus besonderen Menschen würden Menschen, die als krank gelten – und daraufhin einen Leidensdruck spürten. ‚Psychiater und pharmazeutische Firmen produzieren mehr Kranke, um mehr Geld zu verdienen.'[31]

Laut der bereits zitierten Broschüre über „Psychiatrische Krankheitsbilder" lassen sich die seelischen Erkrankungen nach ICD-10 in vier Gruppen einteilen:

1. Die sogenannten mono- und bipolaren Erkrankungen umfassen Gemütslagen von der nicht mehr erträglichen depressiven Niedergeschlagenheit bis hin zum sich selbst heillos überschätzenden, leichtfertigen und umtriebigen, manischen Wonnegefühl.

2. Die Persönlichkeitsstörungen beschreiben das weite Feld der Entgleisungen von menschlichen Eigenschaften und Charakterzügen. Zu Ihnen gehören unter anderem auch Angststörungen, Zwangserkrankungen und Essstörungen bis hin zu Borderlinestörungen.

[31] Jörg Blech: „Wahnsinn wird normal", in: Der Spiegel 4/2013, S.114.

3. Die Erkrankungen aus dem schizoformen Kreis betreffen Psychosen bis hin zur Schizophrenie.

4. Die Suchterkrankungen beziehen sich auf Substanzmissbrauch und bewusstseinsverändernde Drogen.[32]

Zur Entstehung einer Depression bedarf es immer einer Entwicklung, die sich über Jahre erstreckt und meist schon in der Kindheit beginnt. Das hat sich auch immer wieder in den Gesprächsrunden in den psychiatrischen Kliniken, der Tagesklinik und der Tagesstätte gezeigt. Auch wurde in diesen Gesprächen das Leid der Betroffenen deutlich, wenn sie – insbesondere auch aus dem familiären Umfeld – zu hören bekommen haben: „Stell dich nicht so an!" „Da musst du durch!" Solche Aussagen erfassen nicht die Dimension des Krankseins. Susanne Breit-Keßler, Theologin und Autorin der Kolumne „Im Vertrauen" in dem Monats-Supplement chrismon, findet auch freundlich gemeinten Trost nicht unproblematisch: „Wer mit ‚Kopf hoch' – und ‚Wird schon wieder' Parolen aufmarschiert, der sollte andere mit seinem Trost verschonen. Denn eigentlich schont so jemand vor allem sich selbst – er erspart sich die Auseinandersetzung mit der Situation des Gegenübers."[33] Zum Thema Akzeptanz seelischer Erkran-

---

[32] Verein „Hilfe für psychisch Kranke" Bonn/Rhein-Sieg (Hg.), Psychiatrische Krankheitsbilder" o.O., o.J., S.2.

[33] Susanne Breit-Keßler, „Das wird schon wieder!", in: Monats-Supplement chrismon 03/2013, S.36.

kung äußert sich der Vizepräsident des Berufsverbandes Deutscher Psychologinnen und Psychologen gegenüber dem Evangelischen Pressedienst wie folgt: „In Deutschland ist die Bevölkerung seelischen und psychischen Erkrankungen gegenüber inzwischen toleranter eingestellt. Weil es schließlich ‚jeden treffen kann', gebe es hier eine größere Akzeptanz. Das liege aber auch schlicht daran, dass es die Klapse nicht mehr gibt'."[34] Der Kranke ist den Krankenhäusern und -kassen ausgeliefert. Er steht dem Ungetüm hilflos gegenüber und kann den Tabletten nicht entgehen. So auch in den Kliniken, in denen ich untergebracht war. Während eines Vortrags auf einer Station, den die Betroffenen verpflichtet waren zu verfolgen, wusste der damalige ärztliche Direktor im weißen Kittel zu berichten: „Je nach Grunderkrankung leisten Benzodiazepine, Antidepressiva, Neuroleptika oder Beta-Rezeptorenblocker wertvolle Schützenhilfe. Diese Präparate dürfen natürlich nur unter ärztlicher Aufsicht eingenommen werden." Während eines Vortrages am 12. September 2013 im Rahmen der 25. Frankfurter Psychiatriewoche sprach Dr. Margret Osterfeld (Psychiaterin im Ruhestand) davon, dass Kliniken aufgrund des Drucks seitens der Krankenkassen immer mehr im „Akkordbetrieb" Diagnosen stellen würden; und jede Diagnose ihrer Meinung nach bei jedem Arzt anders aussehen könne. Die Aufnahmesituation in der Klinik sei für Patienten und Ärzte immer sehr angespannt.

[34] epd sozial Nr. 33, 16.08.2013, S.4.

In Dokumentationen oder auch Talkshows werden schon seit einigen Jahren Diskussionen zu verschiedenen einschlägigen Themenbereichen (u.a. Gesundheit, Lebenshilfe und Psychiatrie) geführt. So berichtete eine ARD-Dokumentation mit dem Titel „Gefährliche Glückspillen - Milliardenprofite mit Antidepressiva" im Februar 2013, dass Antidepressiva weltweit mittlerweile zu den fünf am häufigsten verkauften Medikamentengruppen gehören. Eine Stellungnahme der Deutschen Gesellschaft für Psychiatrie und Psychotherapie, Psychosomatik und Nervenheilkunde (DGPPN) zu der zur ARD-Reportage „Gefährliche Glückspillen" vom 18. Februar 2013 findet sich auf deren Homepage.[35]

Während die Pharmaindustrie Milliardenprofite mit Antidepressiva macht, ist vielen Patienten - so der Fernsehbericht - nicht bewusst, dass Antidepressiva auch Aggressionen auslösen oder verstärken und das Suizid-Risiko erhöhen können. In der ARD-Dokumentation werden Beispiele für rücksichtsloses Verhalten der Pharmaindustrie den Patienten gegenüber gezeigt. So wurde beispielsweise das Psychopharmakon Zoloft des amerikanischen Herstellers Pfizer - nicht nur in den USA, sondern auch in anderen Ländern, wie z.B. Deutschland - jahrelang nicht mit dem Hinweis auf dem Beipackzettel versehen, dass es bei der Einnahme häufig zu Suizidalität und aggressiven Auffälligkeiten kommen kann. In der Fernseh-Dokumentation wird be-

---

[35] http://www.dgppn.de/aktuelles/detailansicht/article/100/stellungnahm-35.html (13.09.2013).

richtet, dass es seit den 1990er Jahren weltweit tausende Fälle von Suizid gibt, bei denen die Einnahme dieses Medikaments bekannt ist. Inzwischen mahnen immer mehr Mediziner zu größerer Vorsicht bei der Einnahme von Antidepressiva. Auf der Webseite http://www.dr-gumpert.de findet sich folgende Beschreibung der Wirkung von Zoloft: „Ein Antidepressivum greift in den Hirnstoffwechsel ein. Die Theorie hierbei ist, dass es von bestimmten Botenstoffen häufig zu wenige gibt. Eine besondere Bedeutung kommt hierbei dem Transmitterstoff Serotonin zu. Im Gegensatz zu anderen Antidepressiva ist Zoloft ein auf Serotonin spezialisiertes Medikament.“[36]

Im Zusammenhang mit der ARD-Dokumentation muss ich leider zur Sprache bringen, wie gefährlich blindes Vertrauen in Berichterstattung sein kann. In einem offenen Brief, der u.a. in der Psychosozialen Umschau 2/2013 abgedruckt wurde, wirft Dennis Riehle, Blogger und Leiter mehrerer Selbsthilfegruppen zu psychischen Erkrankungen der genannten Sendung eine „überaus einseitige Berichterstattung“ vor: „Das punktuelle Herzeigen von Negativbeispielen und deren Verarbeitung als offenkundiger Normalzustand ist mit einem Auftrag zur objektiven Informationsvermittlung der öffentlich-rechtlichen Sendeanstalten nicht vereinbar.“ Nach der Ausstrahlung haben sich bei Riehle – so ist in seinem offenen Brief zu lesen – „mehrere

[36] http://www.dr-gumpert.de/html/zoloft.html

Teilnehmer aus meinen Selbsthilfegruppen gemeldet, die ob der Darstellungen derart verängstigt waren, dass sie umgehend ihre Medikation absetzen wollten." Er geht davon aus, „dass nicht wenige psychisch erkrankte Menschen nach Verfolgen der Sendung ähnlich gedacht haben" und weist darauf hin, dass „ein abruptes Absetzen von Psychopharmaka ohne ärztliche Anweisung erhebliche Schäden auslösen kann".

Als Ergänzung zum Thema Zoloft möchte ich noch auf eine ZDF-Sendung der Reihe frontal 21 vom 13. August 2013 hinweisen. Der Titel des Beitrags lautet: „Ärzte verdienen mit. Kinder in der Medikamentenfalle".[37] Fazit: Die Pharmaindustrie hat die Kinder als Kunden gefunden. Immer mehr Kinder und Jugendliche bekommen Antidepressiva der neueren Form. Auch Suizidalität in Verbindung mit der Einnahme von Zoloft wird in dem Beitrag thematisiert.

Auch ich habe ab August 2008 kontrolliert – zunächst über einen begrenzten Zeitraum wegen Gefahr einer Abhängigkeitsentwicklung – Beruhigungsmittel u.a. Lorazepam [Tavor®] bekommen. Dann wurde in den Kliniken experimentiert u.a. mit Mirtazapin (Remergil®), Olanzapin (Zyprexa®), Truxal, Trevilor, Amioxid-Neuraxpharm, Opipramol. Irgendwann habe ich bei dem Medikamentencocktail den Überblick verloren. Es

[37] http://frontal21.zdf.de

wurde mir auch eine Zeitlang Sertralin (Zoloft®) verordnet. Nicht lange vor meinem Suizidversuch wurde mir dann u.a. ein neues sogenanntes atypisches Neuroleptikum Quetiapin (Seroquel®) verschrieben, – das zur Behandlung von Psychosen eingesetzt wird. Die behandelnde Psychiaterin hat mir empfohlen, die Medikamente auch noch nach Abschluss der akuten Behandlung über Monate oder Jahre kontrolliert und regelmäßig einzunehmen, um psychosefrei zu leben. Bei medikamentöser Langzeitbehandlung halbiert sich die Wahrscheinlichkeit eines Rückfalls. Ich komme jedenfalls der Empfehlung meiner Ärztin bis heute nach, obgleich ich auch selbst negative Erfahrungen mit den Nebenwirkungen gemacht habe. Über eine Reduktion der Medikamente mache ich mir allerdings immer wieder Gedanken. Nach Dr. Osterfeld – an anderer Stelle bereits zitiert – muss der psychisch Kranke nicht notwendigerweise von einer Dauermedikation ausgehen. Sie erwähnte in diesem Zusammenhang auch, dass zurzeit an einer „Reduktionsbroschüre“ u.a. für Betroffene gearbeitet werde. Ich bin gespannt, wann sie bei der „Deutschen Gesellschaft für Psychiatrie“ erhältlich sein wird.

Im Frühjahr 2013 ist der Patientenratgeber „Umgang mit Psychopharmaka“ in der 4. aktualisierten Auflage erschienen.[38] Dieser Ratgeber, zusammengestellt von drei Fachärzten für Psychiatrie und Psychotherapie (eine Autorin ist Dr. Osterfeld),

---

[38] Margret Osterfeld, Nils Greve, Barbara Diekmann: Umgang mit Psychopharmaka, 4., akt. Aufl. 2013.

die seit Jahren in Klinik- und Gemeindepsychiatrie tätig sind und dort Menschen mit akuten und mit lang andauernden psychischen Störungen und Problemen, ihre Angehörige sowie professionelle Helfer aller Berufsgruppen betreuen. Die Fachärzte bemühen sich, den Ratgeber auf dem aktuellen Stand zu halten, indem sie kontinuierlich daran arbeiten. So liegt für Betroffene und deren Angehörige, aber auch für die in der psychiatrischen Landschaft Tätigen, ein Nachschlagewerk über Psychopharmaka in allgemein verständlicher Sprache vor. Der Ratgeber – so schreiben die Autoren – ist nicht von wirtschaftlichen Interessen bestimmt.

Ebenso wie einer der Autoren des genannten Ratgebers bezieht die Psychiaterin Osterfeld aufgrund ihrer eigenen Erfahrungen als Psychiatrie-Patientin Stellung gegen die Medikamentengabe unter Zwang. Im Februar 2013 wurde im Deutschlandfunk ein Feature zum Thema "Krank oder bloß ganz anders? Schizophrenie. Eine Vergangenheitsbefragung" ausgestrahlt. Darin kommt auch die Psychiaterin Osterfeld zu Wort und prangert u.a. die heute übliche Medikamentierungspraxis an. Über das Feature des Deutschlandfunks wird im Kapitel „Alternative, innovative und menschliche Wege in der Psychiatrie" mehr zu berichten sein.

Während meiner Klinikaufenthalte und auch in der Tagesstätte habe ich beobachtet, dass sich bei vielen Patienten häufig Nebenwirkungen wie beispielsweise Schwindel, Schläfrigkeit, Kopfschmerzen, Herzrhythmusstörungen, Stoffwechselstörungen, Gewichtszunahme und ein erhöhtes Diabetes-Risiko zeigten. Meine Therapeutin erzählte mir, dass beispielsweise etwa 90 Prozent der Betroffenen unter Übergewicht leiden. Immer häufiger hört man in den Medien von dem metabolischen Syndrom, – das auch tödliches Quartett genannt wird, weil es aus vier Risikofaktoren besteht (Übergewicht, Bluthochdruck, erhöhte Blutfettwerte, Insulinresistenz). Es soll an dieser Stelle nicht in Frage gestellt werden – das möchte ich mir nicht anmaßen –, dass Medikamente einen gewissen Anteil an der Genesung haben. Sie haben ihre Berechtigung vor allem in den Akutphasen. Wichtig ist aber auch die Erkenntnis der/ des Betroffenen: Den Weg heraus, den schaffst du nur alleine. Und sie/er muss auch die Krankheit als Lebensbegleiter betrachten. Und lernen, sich niemals zu überfordern. Meine Freundin Inge wird von der Gewissheit getragen, „oberstes Ziel eines jeden Einzelnen ist, auf sich aufzupassen." „Achtsamkeit für sich selbst", darum geht es auch in dem Brief, den Bernhard von Clairvaux (1091-1153) an Papst Eugen III. geschrieben hat. „Pass auf dich auf! Entziehe dich von Zeit zu Zeit den Aufgaben des Tages."[39]

Ähnliches hat meine Cousine dieser Tage in einem Gespräch geäußert: „Aus einer seelischen Krise kann man sich selbst befreien, aber wenn man mit einer unheilbaren Krankheit leben muss, dann

[39] Siehe die Broschüre "Stay wild statt burn out. Leben im Gleichgewicht", S.52-53.

gibt es oft keine Hilfe mehr. Der Versuch, sich auf den Weg zu machen und sich aus einer seelischen Krise zu befreien, könnte daher ein Ziel in der Krise sein." Da hat sie wohl etwas Wahres gesagt. Eine Weisheit des Bestseller-Autors und Psychologen Robert Betz, die auf seiner Facebook-Seite nachzulesen ist, lautet: „Hör auf zu jammern oder dich selbst zu bemitleiden. Trockne deine Tränen, segne die Vergangenheit und räum dein Haus auf." Wenn das alles immer so leicht wäre…

„Im Traum fliegt die Seele aus."

Angstträume begleiten mich nicht nur in dieser Nacht.
Ich schaue in den Spiegel und kann mein
eigenes Spiegelbild darin nicht sehen.
Ich fahre in einer Lok, alt, verrostet, dreckig.
Unterwegs treffe ich noch ein bekanntes Gesicht.
Dann merke ich, dass ich in die falsche Richtung
gefahren bin, noch dazu ohne Fahrschein.
Suche den Zugang zum Gleis in meine Heimatrichtung. Muss
mit einem Aufzug dort hin.
Der Weg ist schwer zugänglich. Es geht in die Tiefe, grauenvoll.
Angst, Angst, Angst.
Keine geschlossenen Türen, alles offen.
Entschließe mich, wegzugehen. Was zurückbleibt:
Ein tiefgehendes Angstgefühl, dunkel und tief.
Aufstehen und alles vergessen.

Sommer 2013

Wenn Angst die Seele frisst

Das Thema Angst hat mich während meiner Erkrankung immer begleitet. Meinen Schwiegervater hat das Thema Angst auch beschäftigt. Auf ein Zettelchen hat er den Satz geschrieben: „Wer Träume leben will, muss seine Angst bekämpfen“. Und in einem Interview in der Frankfurter Rundschau (FR) habe ich die Antwort eines Contergan-Geschädigten auf die Frage: „Was macht er, wenn die Angst kommt und er allein ist?“ gelesen: „Gar nichts. Ich warte, bis sie geht.“

Auch beim Thema Krankenhausaufenthalt muss ich an die Ängste denken, die trotz der Medikamente die Begleiter jener Tage waren. Angst davor, alles könnte auseinanderbrechen. Die Gruppe „Silbermond“ singt ein Lied mit dem Refrain: „Gib mir' n kleines bisschen Sicherheit in einer Welt, in der nichts sicher scheint. Gib mir in dieser schweren Zeit irgendwas das bleibt.“ Gott sagt von sich, dass er ein Rückzugsort für mich sein will. Anne Stählin schreibt in einer Broschüre der Stiftung Marburger Medien dazu weiter: „Wie eine Burg, in die man sich zurückziehen kann. Nicht um sich dort einzuschließen, sondern um Schutz zu finden und zur Ruhe zu kommen. Ich habe immer noch Angst. Aber ich habe auch einen Ort gefunden, an dem dieser Angst begegnet wird.“

Teresa von Ávila (*1515; +1582), Mystikerin und Gründerin des Karmeliterordens, vergleicht die Seele mit einer Burg, die aus sieben Wohnungen besteht. Sechs Wohnungen gruppieren sich um die mittlere, innerste Wohnung, in der Gott wohnt und auf die Begegnung mit dem Menschen wartet. (aus: „Wohnungen der Inneren Burg“).

Ängste sind auch zentrale Auslöser für meine Erkrankung gewesen: Angst zu versagen, Angst nicht zu genügen. Angst nicht genug getan zu haben, Angst nicht geliebt zu werden und schließlich die Angst davor, Sicherheit und Wohlstand zu verlieren und ein Hartz-IV-Fall zu werden.

Während meiner Erkrankung entwickelte ich generalisierte Angststörungen und hatte schwere depressive Episoden mit psychotischen Symptomen. Dazu gehören – so Prof. Dr. med. Volker Faust, der an anderer Stelle schon zitiert wurde – beispielsweise Wahnvorstellungen und Sinnestäuschungen (Halluzinationen). Ich hatte ausgeprägte Zukunftsängste und flüchtete in einen Verarmungswahn. Das heißt: „Die betroffene Person fühlt sich arm, oder fürchtet, zu verarmen, obwohl ihre finanzielle Situation vollkommen unverändert ist und es keine Anhaltspunkte für eine Verschlechterung gibt.“ So bin ich in einer schweren depressiven Episode zeitweise auch wahnhaft getrieben gewesen, dass es mir an Kleidung mangele. Meine Gedanken kreisten permanent um Kleidung. Ich habe Thomas oft genug bedrängt, mit mir neue Kleidung kaufen zu gehen, obwohl reichlich Kleidungsstücke im Schrank waren.

Meine Ängste sind nicht von ungefähr gekommen. Sie liegen bereits in meiner Kindheit begründet. Ich muss lernen, gütig zu mir selbst zu sein. Prägungen sind Automatismen: Ich muss lernen, sie statt negativ, positiv zu nutzen. Unverdaute negative Emotionen sind die Hauptursache für Ängste. Es sei an dieser Stelle ein Blick auf die Forschung erlaubt: US-Forscher haben herausgefunden, dass Mädchen, die in ihrer frühesten Kindheit unter Stress leiden, dauerhaft eine höhere Konzentration des Stresshormons Cortisol im Körper haben und als Jugendliche und Erwachsene anfälliger für Ängste und Depressionen sind. Auch der Psychobiologe Dirk Hellhammer von der Universität Trier sagt, einer der Hauptgründe, warum Menschen auch als Erwachsene unterschiedlich stark auf Stress reagierten, sei, dass die Stressempfindlichkeit „zu etwa 70 Prozent in den Monaten um die Geburt im epigenetischen Muster des Gehirns und Hormonsystems festgelegt" wird. Depressionen, Angsterkrankungen, aber auch körperliche Erkrankungen können das Stress-System aus dem Gleichgewicht bringen. Zudem könnte die seelische Stärke bereits in den Genen stecken. Elisabeth Binder schreibt: „Wer früh im Leben traumatisiert wurde und zudem den sogenannten Risikotyp des Gens geerbt hat, entwickelt als Erwachsener eher als andere eine Depression, eine Posttraumatische Belastungsstörung oder eine bipolare Störung und hat ein erhöhtes Suizidrisiko." Sollte meine Erkrankung genetisch bedingt sein?

Nun, soweit zu Ängsten und meinen Angstträumen im Zusammenhang mit meiner seelischen Erkrankung. All das wird mich wohl - darauf vertraue ich - künftig nicht mehr so weitreichend belasten. Ich weiß, Ängste gehören immer zum Leben. Mein Ehepartner hat mich immer wieder mal in den Jahren unserer Partnerschaft wohlwollend aufgefordert, wegen meiner vielen Ängste eine Therapie zu machen. Auf diesen Ratschlag habe ich nicht gehört. Vielleicht bin ich stur und möchte meine eigenen Erfahrungen machen.

Die verletzte Seele

Wie bereits erwähnt, haben meine Sinne während meiner Erkrankung vieles nicht mehr wahrgenommen. Das Schauen, das Riechen, das Fühlen der Natur... Die Lebensfreude, Freude an der Partnerschaft und an sozialen Kontakten waren mir abhanden gekommen. Der Glaube an Gott und an die eigene Person. Die Reise stromabwärts ist nicht mehr aufzuhalten. Psychisch Erkrankte haben oftmals große Angst. Sie sind voll innerer Unruhe und können oft nur noch mit Hilfe von Medikamenten schlafen. Sie sind gleichgültig und unkonzentriert. Sie interessieren sich nicht mehr für ihre Umwelt und verspüren eine innere Leere. Sie können sich kaum mehr aufraffen und kapseln sich häufig ab. Die Konzentration fällt schwer. Beim Sprechen reißt ihnen leicht der Gedankenfaden ab. Das habe ich alles in gewisser Weise durchlaufen. Alles war zu spät. Lange Zeit konnte mich kein Therapeut therapieren. Auch wenn die Psychologen oft den Eindruck vermitteln, sie besäßen Wahrheiten über den Menschen, sind sie oft auch hilflos bei ihren Therapie-Gesprächen. Kurz vor meinem Suizidversuch sagte eine Krankenschwester zu meinem Mann: „In dieser psychiatrischen Einrichtung wird Ihre Frau keine Hilfe mehr finden. Bringen Sie sie woanders unter." Dazu ist es leider nicht mehr gekommen. Ich hatte für mich einen anderen – vermeintlichen – Ausweg gefunden.

Bereits der Philosoph und Kirchenlehrer Augustinus von Hippo (354 bis 430 n. Chr.) wusste: „Die Seele nährt sich von dem, woran sie sich freut", und Teresa von Ávila schrieb: „Tu Deinem Leib Gutes, damit Deine Seele Lust hat, in ihm zu wohnen".

Eine Begegnung, die ich als eine der besonderen Art bezeichnen möchte, hat sich in mein Gedächtnis eingeprägt. Hier habe ich Berührungspunkte mit meinem Gegenüber gefunden. Die Frau hat ihre schizophrene Stieftochter auf ihrem langen Leidensweg begleitet und schließlich verloren. Das

Herz ging mir über bei dieser empatischen Begegnung. „Mit der Brille auf dem Herzen in die Augen des Gegenübers schauen“ – so lautet die Weisheit, die ich aus dieser Begegnung mitnehmen werde. Hier konnte ich unvoreingenommen über meinen Leidensweg sprechen. Meine Seele hat sich verstanden gefühlt. In diesem Moment ist mir wohl die sogenannte Seelenverwandtschaft begegnet. Sehen mit dem Herzen. Wer mit dem Herzen sieht, der erkennt die Welt. Übrigens: „Der Ausdruck Seelsorge (lateinisch cura animarum) ist eine im Deutschen geschichtlich gewachsene Bezeichnung, die sich aus den Wörtern Seele und Sorge zusammensetzt“ – so ist in der Wikipedia zu lesen.[40]

---

[40] http://de.wikipedia.org/wiki/Seelsorge, 5.7.2013.

Wie Sonja Müseler von der Telefonseelsorge Berlin e.V. auf einer Tagung der Evangelischen Akademie zu Berlin im Juni 2008[41] berichtet, wurde die Westberliner Telefonseelsorge als erste Stelle dieser Art 1956 gegründet. „Seelsorge ist ein Ort, wo jeder anrufen kann. Entgegen der Wissenschaft, die etwas Genaues, Definiertes sucht, ist die Seele ein ungenauer Begriff, und das macht die Seelsorge so einladend für vielfältige Nöte. Wer in der Seelsorge anruft, dem wird Zeit geschenkt." „Heute kann man etwa 35 Prozent der Anrufe dem Thema Depression zuordnen", so Müseler weiter. „Trotzdem spricht nur eine kleine Gruppe der Anrufer von Depression und das sind meist diejenigen, die schon eine lange Erfahrung mit der Krankheit haben. Die Gruppe der jungen Menschen spricht eher von Arbeitslosigkeit, Einsamkeit und Partnersuche. Arbeitsstörungen und Antriebslosigkeit stehen auch häufig im Vordergrund." Der 51-Jährige Pfarrer und Psychologe Jochen Kreyscher von der Mainz-Wiesbaden Telefonseelsorge meldet sich, wie er in einem Interview mit der Frankfurter Rundschau (27.2.13, S.R8) sagte: „Telefonseelsorge, guten Tag", und tut dann etwas, das – wie er sagt – immer seltener geworden ist: Er hört zu. Lässt den anderen reden. Solange er will und ohne viele Fragen zu stellen. Weil Fragen, so Kreyscher, oft von dem ablenken, was dem Anrufer wichtig ist. Der Telefonseelsorger – so der bundesweite Ansatz – hört zu, ohne Ratschläge zu geben. Kreyscher meint: „Zuhören

[41] Abgedruckt in der epd-Dokumentation 41/2008, S. 49-50.

und keine Lösung parat zu haben – das bedeutet, ein Problem ernst nehmen. Ein Unglück, bei dem ein Fremder flugs eine Lösung aus dem Ärmel schütteln kann – ist das wirklich groß?"

Erfahrungsberichte aus der Telefonseelsorge zeigen: „Wenn noch Kontakt zu der Familie besteht, so ist dieser oft durch die Erkrankung stark belastet. Die Familie ist durch den depressiven Angehörigen verunsichert und weiß auch nicht, wie sie dem Betroffenen begegnen soll. Aus der Hilflosigkeit entsteht häufig von beiden Seiten eine nicht bewusst gewählte Distanz. Der Betroffene zieht sich zurück, weil er sich selbst nicht aushalten kann, und glaubt, eine Zumutung für seine Familie zu sein" (in: epd-Doku, 41/2008, S.50).

Eine Freundin oder einen Freund zu haben, die mich nehmen wie ich bin, denen ich nichts vormachen muss: Das kann Gleichgewicht ins Leben bringen. Wie sieht es mit meinen Freundschaften seit meiner Erkrankung aus? Sicherlich sind die einen oder anderen Kontakte im Laufe der Jahre auf der Strecke geblieben. Aber – ich habe es an anderer Stelle schon erwähnt – die engsten Freundschaften sind nicht zerbrochen und dauern schon seit Jahren. Meine Freundschaft zu Inge verbindet uns schon seit meinem fünfzehnten Lebensjahr. Susanne ist seit meinen Ausbildungsjahren, seit 1980 also, an meiner Seite. Auch sie ist mir sehr ans Herz gewachsen. Ebenso meine langjährige Freundin Sabine; und Elke mit ihrer Familie und meinem Patenkind Sophie.

Sie alle, mein Partner und meine Eltern und Geschwister, Ruth und Christoph, haben mich durch das Jammertal begleitet. Es gab Zeiten, da sind sie nicht zu mir durchgedrungen. Ich war verschlossen und habe mich selbst nicht wiedererkannt. Das Gefühl der Leere und Einsamkeit war immer zugegen. Aber alle sind an meiner Seite geblieben und ich bin wieder in ihrer Mitte aufgenommen. Ich weiß, dass es nicht allen Betroffenen so ergeht und viele auf sich allein gestellt sind.

Wenn ich während der Klinikaufenthalte Besuch bekam, wurde viel über meine Erkrankung und meine Gemütsverfassung geredet. Thomas ist in diesen Zeiten mit sehr schwierigen Themen konfrontiert gewesen. Ich konnte mich sehr schlecht auf die Besucher einlassen – meine Gedanken drehten sich ausschließlich um mich selbst. An die regelmäßigen Besuche in der Zeit, als ich nach dem Suizidversuch und als Folge des Unfalls in verschiedenen Krankenhäusern lag, erinnere ich mich noch sehr gut. Hier wurde ich wegen körperlicher Gebrechen und nicht in erster Linie wegen psychischer „Defekte“ behandelt. Als ich so langsam zu realisieren begann, was mir zugestoßen war, entwickelte ich Schamgefühle, die mich plagten: Wie konntest du nur diesen Schritt machen? Was werden die Leute

freundschaft

– kann dir helfen, über dein
alleinsein hinwegzukommen

– kann dir das gefühl geben,
du wirst geliebt mit all
deinen fehlern und schwächen

– kann dir helfen, das gegenseitige
aufeinander eingehen zu lernen,
das zuhören

– kann dir helfen, dein
selbstwertgefühl
zu stärken

– kann dir helfen, freude zu erfahren,
aber auch enttäuschungen und leid

wenn zwischen freundinnen/freunden

ein offenes gespräch vorhanden ist,

wird aus dem kann ein gibt,

denn geben und freundschaft

gehören zusammen.

---

geschrieben während eines Au-Pair-Aufenthaltes in England 1979

denken? Heute stehe ich dazu: Ich habe mich entschlossen, das Thema Selbsttötung anzusprechen. Letztendlich auch, weil ich mit dem Thema Freitod seitdem immer wieder konfrontiert wurde und sicherlich auch künftig konfrontiert sein werde. Suizid wie auch Alkoholismus, Alzheimer, Depression und Schizophrenie müssen in der Öffentlichkeit thematisiert werden. Auch die Politiker sind gefordert, bei diesen Themen genauer hinzuhören.

„**E**s ist zuverlässig erwiesen, dass soziales Eingebundensein, ein gutes soziales Netz, ein wichtiger Schutzfaktor für psychische Gesundheit ist.“[42] Deshalb werden in den Tagesstätten die Klienten angehalten, sich in die alltäglichen Strukturen einzugliedern. Dazu gehören auch die täglichen Kontakte zu den anderen Betroffenen. „Wegbegleiter sein“ heißt auch, je mehr man seine Mitte spürt, desto reicher sind die Früchte, die man ernten und anderen vorlebt.“ Dazu gehört auch – so die Theologin Breit-Keßler – mit sich selbst in Kontakt zu sein und den Kontakt zu anderen Menschen zu halten. Inzwischen kann ich wieder konzentriert auf Gedankenreise gehen. Das war nicht immer so: „Jetzt merkte ich, wie ich abschweifte. Innerlich, in Gedanken. Immer weiter weg von mir selbst.“

In der Tagesstätte, in Gemeinschaft von Betroffenen, kann die Grundlage dafür gelegt werden, einen Genesungsschritt zu wagen. Mit dem Aufgeschriebenen könnte ich dabei als „Spiegel“ dienen,

---

[42] Diplompsychologe Werner van Haren, „Die zwei Seiten der Einsamkeit“, in: Psychosoziale Umschau 01/2013.

damit die Betroffenen sich vielleicht besser verstehen lernen. Ich wünsche mir jedenfalls, einen Impuls für eine Genesung geben zu können.

Viel benutzt: Der Begriff „Burnout-Syndrom“

Während eines Gottesdienstes in der Klinik Hohe Mark habe ich im Dezember 2011 erfahren, dass es das Phänomen Burnout wahrscheinlich schon zu allen Zeiten gegeben hat. Ein Wort aus der Bibel fällt mir ein: „Es ist nicht gut, was du tust, Du machst dich zu müde. Das Geschäft ist zu schwer“ (Ex 18,18); und Shakespeare, der das Verb „to burn out“ (ausbrennen) bereits Ende des 16. Jahrhunderts verwendete.

Das sogenannte Burnout-Syndrom erlebt zurzeit eine große mediale Aufmerksamkeit, und der Begriff macht es vielen Menschen offenbar leichter, über seelische Nöte zu sprechen. Während die Depression sozial stigmatisiert ist, ist das Burnout-Syndrom mittlerweile als Gefahr für aktive und sehr engagierte Menschen akzeptiert. In den Medien wird der Zusammenhang zwischen Stress und Job und psychischen Erkrankungen häufig diskutiert. Auch der Seelsorgeausschuss der Vereinigten Evangelisch-Lutherischen Kirche Deutschland (VELKD) hat eine Broschüre zum Thema Burnout erarbeitet. Die bereits an anderer Stelle zitierte Broschüre „Stay wild statt burn out" soll, wie es im Vorwort heißt, „für die Gefahr des ‚Burn out' sensibilisieren, damit Menschen sie rechtzeitig erkennen und statt zu ‚verbrennen' ‚im Gleichgewicht leben'".

Der Psychoanalytiker Herbert Freudenberger hat die Bezeichnung Burnout 1974 erstmals verwendet. In den Medien lesen und hören wir ihn viel zu oft. Dabei ist Burnout noch keine klinische Diagnose, und das Syndrom ist nicht klar definiert. Der Psychologe Hans-Ulrich Wittchen, der auch an dem Katalog für psychische Störungen, dem bereits erwähnten DSM, mitarbeitet, wird im Juli 2012 im Spiegel zitiert: „Die Modediagnose Burnout wird nicht in dem Handbuch auftauchen. Denn: ‚Diese Diagnose ist ein rein deutsches Phänomen', sagt Wittchen. Burnout sei in der Regel schlichtweg eine Variante der Depression. Doch dieser Begriff sei hierzulande verknüpft mit dem Bild eines willensschwachen, passiven Menschen. Burnout hingegen verbinden wir mit jemandem, der sich überanstrengt hat, der zu viel geleistet hat und deswegen krank ist. Das klingt nicht so stigmatisierend." Prof. Mathias Berger „der Ärztliche Direktor der Klinik für Psychiatrie und Psychotherapie des Uniklinikums Freiburg weist auch darauf hin, dass mittlerweile Burnout als Krankheit der ‚Tüchtigen' gelte und Depression als Krankheit der ‚Schwächlinge'."[43] Prof. Ulrich Hegerl, Vorstandsvorsitzender der Stiftung Deutsche Depressionshilfe, meint: „Es mag ja sein, dass die Diskussion über Burnout dazu geführt

---

43 http://www.sueddeutsche.de/gesundheit/kongress-zu-depressionen-wahre-freude-an-der-ernsten-sache-1.1760892-2 (10.09.2013).

hat, dass es für manchen depressiv Erkrankten leichter geworden ist, sich Hilfe zu holen. Aber wir sollten eine Depression auch Depression nennen und uns nicht hinter Ausweichdiagnosen verstecken."[44] „Burnout ist eher ein Modebegriff für eine Befindlichkeitsstörung, für Erschöpfung durch Überarbeitung." Outings von prominenten Persönlichkeiten machen klar: „diese Krankheit kann jeden treffen, auch agile und erfolgreiche Persönlichkeiten."[45]

In Gesprächen in meinem persönlichen Umfeld bin ich oft gefragt worden: „Haben Sie einen Burnout gehabt?" Unter dieses Mäntelchen wird leider viel zu viel gepackt! Weitaus seltener hört man vom Gegenpol des Burnout-Syndroms. Dem sogenannten Boreout (englisch to bore: langweilen). Für die Psyche ist sowohl Überforderung als auch Unterforderung schlecht. In der Arbeitsweltwelt wie im Alltag gilt es, die richtige Balance zu finden.Amerikanische Software-Entwickler haben eine App für Android-Geräte entwickelt, die aus Smartphones Stresstester macht, und auch in Deutschland wird zu diesem Thema geforscht.[46] Eine Depression verändert beispielsweise die Stimme. Sie erscheint unmoduliert, die Tonhöhe variiert weniger. Der Betroffene spricht monotoner und langsamer als sonst. Mit dem Handy soll auch unruhiger Schlaf gemessen werden können, etwa anhand des nächtlichen Hin- und Herwälzens. Unter Stress und De-

---

[44] Spiegel online, 24.11.2011 „Burnout ist eine Ausweichdiagnose".

[45] Prof. Hegerl im Interview mit Medizin Compact Online, 09.05.2013.

[46] http://www.fr-online.de/wissenschaft/app-fuer-android-smartphone-soll stress-erkennen,1472788,17251662.html

pression ist der Schlaf oft sehr gestört. In den USA gibt es auch Versuche einer Art mobiler Psychotherapie: Das US-Department of Veterans Affairs entwickelte für Kriegsveteranen ein Handy-Programm, das Soldaten mit Posttraumatischer Belastungsstörung helfen soll, mit den Symptomen umzugehen. Doch sind diese psychotherapeutischen Display-Tipps kein Ersatz für eine Therapie.

Der Schweizer Psychotherapeut Josef Giger-Bütler ist der Verfasser des Selbsthilfe-Ratgebers „Depression ist keine Krankheit: Neue Wege, sich selbst zu befreien" (Beltz Verlag 2012). Die Essenz des Buches – so ist kritisch in einem online-Artikel von Torsten Harmsen am 07.02.2013 in der Frankfurt Rundschau zu lesen: „Depressive Menschen sind nicht krank, behauptet der Buchautor und suggeriert, nur der eigene Wille helfe aus dem Tief". Medizinische Studien zeigen allerdings das Gegenteil. Depressive Menschen sind nicht krank! Wie eine Mantra wiederholt der Autor diesen Satz immer wieder. Depression sei ein Leiden, das auf einer bestimmten Persönlichkeitsstruktur fuße. Und jeder könne sich aus eigener Kraft befreien." „Giger-Bütler spricht davon, dass jeder den ‚Ausstieg' aus einer Depression selbst in der Hand habe. Sie sei ‚keine Heilung von einer Krankheit, sondern ein ganz normaler Weg zur Selbstbestimmung'. Die Betroffenen sollten künftig mehr auf sich achten, auf ihre Bedürfnisse hören, sich nicht überfordern. ‚Jetzt geht es um mich', lautet die Losung. Gewiss ist dies in vielen Fällen auch nötig, denn gerade Stress und Depressionen hängen eng zusammen. Doch sollte dies dann Teil einer ganzheitlichen Behandlung sein. Und man muss unbedingt verhindern, dass der Depressive sich jetzt neuen Druck macht oder ihn von außen bekommt, nach dem Motto: Das Buch von Giger-Bütler gebe doch den Weg vor, wie man aus freiem Willen ‚aussteigen' könne. Denn eines muss klar sein: Die Depression ist nicht lediglich die Folge einer Fehlentwicklung, sondern eine ernsthafte Erkrankung."[47] (Das Wort „Depression" leitet sich übrigens aus dem Französischen ab: französisch dépression = Niederdrückung, Senkung, lateinisch depressio).

Auch das Bundesministerium für Arbeit und Soziales (BMAS) hat den Stress in der Arbeitswelt auf der Agenda. So ist in einer Presseerklärung des BMAS vom 4. Juli 2012 anlässlich der Veröffentlichung der Broschüre „Kein Stress mit dem Stress" zu lesen: „Die Zahl der Fehltage aufgrund psychischer Erkrankungen ist von 33 Millionen im Jahr 2001 auf über 53 Millionen im Jahr 2010 drastisch angestiegen. Mit einem Anteil von 38 Prozent sind solche Beschwerden die häufigste Ursache für Frühverrentungen." Das BMAS unterstützt deshalb Betriebe, Führungskräfte und Beschäftigte im Rahmen

[47] Torsten Harmsen: „Autor Josef Giger-Bütler : ‚Depression ist keine Kranheit'", in: Frankfurt Rundschau, 07.02.2013; http://www.fr-online.de wissenschaft/autor-josef-giger-buetler/depression-ist-keine-krankheit; 1472788,11775030.html (17.10.2013)

des Projekts „Psychische Gesundheit in der Arbeitswelt“ (psyGA) mit Informationen, Handlungshilfen und Beispielen für Gesundheitsförderung aus dem Unternehmensalltag. Und am 29. Januar 2013 hat die Bundesarbeitsministerin Ursula von der Leyen auf der Tagung „Psychische Gesundheit in der Arbeitswelt“ den „Stressreport 2012“ vorgestellt, den die Bundesanstalt für Arbeitsschutz und Arbeitsmedizin (BAuA) veröffentlicht hat.
Fest steht, dass psychische Belastungen für Arbeitnehmer verringert werden müssen und der Druck, die Anforderungen und der Stress nicht zu groß werden dürfen. Letztlich gilt es, das richtige Maß zu finden.

Meine Seele konnte sich viele Jahre an gar nichts mehr freuen. Die Erkrankung meiner Seele hat schon viele Jahre in mir geschlummert. Ausgebrochen ist sie im Laufe des Jahres 2008: Spätestens seit ich am 18. März erfahren habe, dass ich ab 1. Juli eine neue Stelle haben werde. Bei der Arbeit in der neuen Abteilung bin ich dem Stress und den Anforderungen nicht mehr gewachsen gewesen.
Depression im umgangssprachlichen Sinne ist nicht zu verwechseln mit einer Depression im medizinischen Sinn. Sie ist eine ernsthafte, oftmals lebensgefährliche Erkrankung. Das heißt aber nicht, dass man die „Depression“ im umgangssprachlichen Sinn auf die leichte Schulter nehmen sollte. Ein möglicher Helfer muss jedoch – wie oben beschrie-

ben – nicht unbedingt ein Arzt oder ein Psychologe sein. Die Broschüre „Depression. Ein Ratgeber“, herausgegeben vom „Deutschen Bündnis gegen Depression“ e.V., liefert viele nützliche Informationen zum Thema Depression. Die Broschüre enthält auch einen Fragebogen zum Selbsttest bei psychischen Problemen und ist informativ für Betroffene wie für Angehörige oder Freunde.

Das Bündnis gegen Depression und die Stiftung Deutsche Depressionshilfe betreiben ein Online-Diskussionsforum zum Thema „Depression“. Es bietet eine ideale Plattform für depressiv erkrankte Menschen. Betroffene Menschen können diese unabhängige Selbsthilfeplattform nutzen und über ihre Erkrankung sprechen – und sind so nicht völlig allein gelassen mit ihr.[48] Die Stiftung Depressionshilfe hat unter der Schirmherrschaft von Harald Schmidt am 1. September 2013 in Leipzig den 2. Patientenkongress veranstaltet. Auch auf der Homepage der Stiftung können Betroffene und deren Angehörige viel Informatives finden.

Thomas hat mir einen Ratschlag gegeben: Wichtig sei es, zur Ruhe zu kommen. Nicht dauernd an alles Mögliche zu denken und alles Mögliche zu tun, z.B. zwischendurch Mails zu schreiben oder zu beantworten. Das Wesentliche eben nicht aus den Augen zu verlieren. Ruhe muss in den alltäglichen Tagesablauf einkehren. Raum im Kopf

---

[48] www.diskussionsforum-depression.de

schaffen, das kann auch bedeuten, etwas Liebes loszulassen. All das muss ich beherzigen und lernen. Denn dauerhaft Überforderung macht den Geist mürbe und oft sogar den Körper krank. Genau dies sagt auch Margot Käßmann: „Entschleunigung ist möglich, wenn ich es schaffe, erst einmal abzubremsen. Nein, ich muss nicht bei Facebook posten, wo ich mich gerade befinde. Und ich muss auch nicht ständig verfügbar sein, muss das Handy nicht auch noch mit ins Bad nehmen. Es genügt, wenn ich die Mail in drei Tagen beantworte."

Ich nehme in diesen Tagen alles wie ein Schwamm auf. Aus vielen Büchern sind Zitate in meinen Notizblock geraten. So auch zum Thema Einkehr und Stille. In dem Buch „Das Ende ist mein Anfang" des Spiegel-Autors Tiziano Terzani habe ich in einem Gespräch mit seinem Sohn Folco folgende lesenswerte Passagen gefunden:

FOLCO: *„Es gibt heute unendlich viele Reize, die dem Geist keine Ruhe lassen. Zu Hause läuft der Fernseher und im Auto das Radio, jeder Bus ist mit bunter Werbung bedruckt und immerzu klingelt das Telefon. Einem längeren Gedankengang zu folgen, ist unmöglich. Die Gedanken sind kurz, weil man ständig unterbrochen wird."*

TIZIANO: *„Du hast vollkommen recht. Unsere Gedanken sind kurz wie Werbespots. Es gibt keine Stille mehr."*

FOLCO: *„Nach Mutter Teresa führt die Stille zum Gebet, das Gebet zum Glauben, der Glaube zur Liebe und die Liebe zur Tat. Doch am Anfang dieses Prozesses steht die Stille. Fragte sie jemand: ‚Wie ist es möglich, sich zu verändern?', gab sie immer eine ganz einfache Antwort: Beginn mit Schweigen."*

TIZIANO: *„Ja, in allen Religionen hat Schweigen eine große Rolle gespielt. Christus ist in die Wüste gegangen, ein anderer geht in die Berge."*

Tiziano Terzani hat es in den Himalaja gezogen: „Also – wenn du ein Problem hast, halte ein. Horch in dich hinein und versuch die Antwort in dir selbst zu finden. Denn es gibt sie. Tief in deinem Innern gibt es etwas, was dich hält, was dir hilft, eine Stimme, hör ihr zu. Manche nennen sie Gott, manche haben andere Namen dafür, aber es gibt sie."[49]

---

[49] Tiziano Terzani: Das Ende ist mein Anfang, München 2007, S.357.

Alternative, innovative und menschliche Wege in der Psychiatrie

„Psychiatrie teilt sich seit jeher in ‚zwei Lager': Die, die behandelt werden, auf der einen Seite, und die, die behandeln, auf der anderen." Ich zitiere die Worte der Autorin Sibylle Prins, die selbst psychiatrieerfahren ist und Bücher veröffentlicht über ihre Erfahrungen mit psychischer Erkrankung, über den Umgang damit und über Wege weg vom weitverbreiteten Denken, Schizophrenie bzw. Psychosen seien sinnlose, unheilbare Gehirnerkrankungen, denen ausschließlich mit Medikamenten begegnet werden kann. Sie lässt Psychiatrie-Betroffene zu Wort kommen und verleiht ihnen somit eine Stimme, die zunehmend gehört wird.

Neue Wege innerhalb der medizinischen Psychiatrie, in der sowohl Angehörige als auch Psychiatrie-Betroffene begonnen haben, ihre Stimmen zu erheben, beschritt 1970 zuerst der Verein „Deutsche Gesellschaft für Soziale Psychiatrie" (DGSP) in Hannover, 1976 dann der Dachverband psychosozialer Hilfsvereinigungen e.V. (DV). Durch die Beteiligung der Angehörigen von psychisch Kranken „erhielt der primär durch Professionelle geführte Monolog mit psychisch erkrankten Menschen die Chance, über einen bis dahin in zögerlichen Ansätzen gepflegten Dialog (in erster Linie zwischen Profis und Psychiatrie-Erfahrenen) zum Trialog zu werden", so ist in dem Buch „Trialog praktisch: Psychiatrie-Erfahrene, Angehörige und Professionelle gemeinsam auf dem Weg zur demokratischen Psychiatrie" von Jürgen Bombosch u.a. zu lesen.[50]

Die deutsche Antipsychiatrie-Bewegung in den 1980er Jahren führte dann zu einem weitreichenden Umdenken. Wer sich mit der Betroffenen-Bewegung, mit Alternativen zur Psychiatrie und international mit Menschenrechtsverletzungen in der Psychiatrie beschäftigt, stößt unweigerlich auf Peter Lehmann. Im Jahre 1980 war er Gründungsmitglied einer antipsychiatrischen Selbsthilfegruppe von Psychiatrie-Betroffenen in Berlin. 1986 gründet Lehmann den Antipsychiatrieverlag.[51] Im Jahre 1997 war er Gründungsmitglied des World Network of Users and Survivors of Psychiatry (WNUSP), einem Weltnetzwerk von „Psychiatrie-Nutzern und -Überlebenden".[52] Lehmann zählt zu den Verfechtern der ‚humanistischen Antipsychiatrie'. „Der Begriff wird oft missverstanden, da ‚Antipsychiatrie' in vielen Ländern mit ihren kulturellen Eigenheiten willkürlich unterschiedlich benutzt wird. Die moderne, nutzergetragene humanistische Antipsychiatrie ist eine undogmatische Bewegung. Die Vorsilbe ‚Anti' aus dem Griechischen bedeutet mehr als einfach nur ‚gegen'. Sie bedeutet auch ‚alternativ', ‚gegenüber'

[50] Vgl. http://www.antipsychiatrieverlag.de/versand/titel/bombosch.htm

[51] http://www.antipsychiatrieverlag.de/

[52] http://www.wnusp.net/

oder ‚unabhängig'. Humanistische Antipsychiatrie ist von Widerspruchsgeist und der grundlegenden Erkenntnis erfüllt,

- dass die Psychiatrie als naturwissenschaftliche Disziplin dem Anspruch, psychische Probleme überwiegend sozialer Natur zu lösen, nicht gerecht werden kann,

- dass ihre Gewaltbereitschaft und -anwendung eine Bedrohung darstellt

- und dass ihre Diagnostik den Blick auf die wirklichen Probleme des einzelnen Menschen verstellt."[53]

Lehmann hat zahlreiche Preise und Auszeichnungen (2010 die Ehrendoktorwürde der Psychologischen Abteilung der Aristoteles-Universität Thessaloniki [Griechenland]; 2011 das Bundesverdienstkreuz) erhalten und war Vorstandsmitglied des 1991 gegründeten Bundesverband Psychiatrie-Erfahrener (BPE e.V.), einer deutschen Lobby-Organisation von Betroffenen. Der Verein propagiert eine andere als die herkömmliche medizinische Psychiatrie.

Neben vielem anderen nimmt er auch Stellung zu Gesetzesvorhaben und Verfahren des Bundesverfassungsgerichts. Und schließlich setzt sich der

---

[53] Vgl. http://www.antipsychiatrieverlag.de/versand/titel/bombosch.htm

Verein auch für die Trialogische Psychiatrie ein. Das heißt, so ist auf der Seite „Trialog Bielefeld“[54] zu lesen: „dass alle, die bei einer psychischen Krise oder Erkrankung bzw. psychiatrischer Behandlung beteiligt sind, d.h. die Betroffenen selbst, die (organisierten) Angehörigen psychisch erkrankter Menschen und die professionellen Helfer.[So treffen drei Beteiligte]. Daher die Silbe ‚tri‘ (tri meint drei) zusammenkommen und gleichberechtigt ihre manchmal gemeinsamen, mitunter sehr unterschiedlichen Interessen verhandeln und diskutieren. Betroffene und Angehörige sind hier nicht passive Objekte der Behandlung oder der Psychiatriepolitik, sondern können sich auf gleicher Augenhöhe einbringen und mitwirken. Ziel ist eine subjektorientierte psychiatrische Behandlung und eine stärkere Demokratisierung der Psychiatrie.“ In der Deutschen Angst-Zeitschrift schreibt Wolfgang C. Goede in der Angst-Kolumne: „Die Selbsthilfe hat sich in den letzten 25 Jahren zur vierten Säule des Gesundheitswesens aufgeschwungen. Psychiatrie-Erfahrene läuten eine Innovations- und Professionalisierungsdebatte ein.“[55] In derselben Ausgabe der Zeitschrift ist zu lesen, dass auch der bayerische Ministerpräsident Seehofer die Selbsthilfe als „vierte Säule des Gesundheitswesens“ adelt. Die heutige 95-Jährige Dorothea Buck war und ist maßgeblich in der Bewegung der Psychiatrie-Erfahrenen aktiv. Zwischen 1936 und 1959 erlebte sie fünf schizophrene Schübe. Während ihres ersten Schubs wurde sie in den v. Bodel-

---

[54] http://www.psychiatrie-bielefeld.de/

[55] Wolfgang C. Goede: Deutschen Angst-Zeitschrift (daz) Nr. 62, II. Quartal 2013.

schwinghschen Anstalten in Bethel zwangssterilisiert. Die Zwangssterilisation – ebenso die Euthanasie – wurde im Dritten Reich aufgrund des „Gesetzes zur Verhütung erbkranken Nachwuchses" vollzogen. Sie wirft dunkle Schatten auf Bethel. Dr. Günther Wienberg, Mitglied des Vorstands der von Bodelschwinghschen Stiftung Bethel, sagte im Deutschlandfunk zu diesem Thema: „Das, was damals geschehen ist, ist auch aus heutiger Sicht schuldhaft zu bewerten, man muss es allerdings auch im Kontext der Zeit sehen, damals gab es einen sehr breiten gesellschaftlichen Konsens, bis hinein in beide Kirchen, dass Zwangssterilisation im Interesse des Volksganzen geboten ist. Heute wissen wir, dass das ein tragischer Irrtum war."

Der Beitrag zum Thema Schizophrenie mit dem Titel: „Krank oder bloß ganz anders? Schizophrenie. Eine Vergangenheitsbefragung" (DLF,02/13) hat mich sehr betroffen gemacht, und er soll daher in diesem Buch Erwähnung finden. In dem Feature kommt auch Dorothea Buck zu Wort. Ein weiteres Thema ist die neue Gesetzgebung zur Zwangsmedikation in der Psychiatrie.

„**F**orschungsergebnisse aus jüngerer Zeit zeigen deutlich, dass Pillen allein psychisch erkrankten Menschen nicht helfen. Trotzdem gelten psychotherapeutische Ansätze in der Psychiatrie noch immer als Mittel zweiter Wahl. Ihre Wirkung wird oft unterschätzt und belächelt, oder allenfalls als ‚ergänzende Maßnahme' zur Behandlung mit Psychopharmaka begriffen", war in einer Sendung des SWR vom 26.8.2010 zu hören. In dem bereits zitierten Feature des Deutschlandfunks zum Thema Schizophrenie wird auch über eine Alternative zur Medikation berichtet, die sogenannte Psychoedukation, die Patienten und Angehörigen Wissen über die Erkrankung vermittelt. Über eine Publikation mit dem Titel „Männer weinen nicht" habe ich in der Zeitschrift „Faszination Seele" gelesen.[56] Die beiden Journalistinnen Constanze Löffler und Beate Wagner haben zusammen mit dem ärztlichen Direktor und Chefarzt der Psychiatrie, Psychotherapie und Psychosomatik des Bezirkskrankenhauses Bayreuth, Prof. Manfred Wolfersdorf, dieses Buch verfasst. Darin beschreiben sie mögliche Ursachen für Depressionen und stellen Kriterien für das Erkennen der Erkrankung zusammen. Sie haben bei ihrer Arbeit einen männlichen Ansatz im Blickwinkel. Denn bei Männern – so ist zu lesen – äußern sich Depressionen anders als bei Frauen. Männer stürzen sich in die Arbeit, suchen Zerstreuung im Alkoholrausch oder werden sogar gewalttätig. Auch das Klinikum Wahrendorff bei Hannover verfolgt den Ansatz, dass Männer eine andere Therapie als Frauen benötigen, so Dr. Rainer Brase, Geschäftsführer des Klinikums Wahrendorff[57]: „Auf Männern lastet ein erheblicher Druck in unserer Gesellschaft. Viele seelische Störungen haben unmittelbar mit der Ge-

[56] „Faszination Seele" III/2012, S. 8-9.

[57] http://www.ulla-groskurt.de/content/355052.php

schlechterrolle und dem geschlechterspezifischen gesellschaftlichen Kontext zu tun. Dies hat uns auf die Idee gebracht, ein Angebot nur für Männer zu konzipieren." Die im Mai 2011 eröffnete Tagesklinik für Männer wird so gut angenommen, dass Erweiterungen in Vorbereitung sind. Psychische Erkrankungen werden bei Männern häufig unzureichend diagnostiziert und behandelt. Das ist auch das Fazit des „Männergesundheitsberichts" der Stiftung Männergesundheit, der im April 2013 in Berlin präsentiert wurde.

Die angeführten Beispiele zeigen, dass seelisch erkrankte Patienten auf innovative und menschliche Wege innerhalb der Psychiatrien und Tageskliniken hoffen können. Es sei an dieser Stelle gesagt, dass ich nicht alle Verbände, die landes- und bundesweit durch ihre Zusammenarbeit mit Institutionen der psychiatrischen Landschaft maßgeblich zur Verbesserung der Bedingungen in der Psychiatrie und im Bereich von Gesetzesänderungen beitragen, anführen kann.

Erwähnen möchte ich aber das alternative Psychiatrie-Konzept „Soteria" (griechisch: heißt so viel wie Geborgenheit, Sicherheit, Befreiung) es macht Hoffnung; hier wird davon ausgegangen, dass Patienten nicht behandelt, sondern durch die Erkrankung begleitet werden. In einer SWR-Fernsehsendung am 26.08.2010 erhalten die Zuschauer auch Informationen über dieses Konzept. Entwickelt wurde das alternative Behandlungsmodell im Zuge der Antipsychiatrie-Bewegung seit den 1960er Jahren. Die erste Einrichtung dieser Art wurde 1971 in Kalifornien (USA) von dem Psychiater Loren Mosher gegründet, musste jedoch nach zwölf Jahren wegen der Einstellung staatlicher Hilfen geschlossen werden. In Bern (Schweiz) führte 1984 der Schizophrenie-Forscher Prof. Luc Ciompi die Soteria in Europa ein. Weitere lesenswerte Hintergründe zur Geschichte der Soteria finden sich auf den Internetseiten des „Soteria für Frankfurt e.V.“, der 1996 in Anwesenheit von Luc Ciompi gegründet wurde.

In Deutschland gibt es Soteria-Einrichtungen in Zwiefalten (seit 1999) und München (seit 2003). Mehrere Kliniken in Deutschland – (Aachen, Friedberg, Gießen, Hannover und Langenfeld) – haben mit Erfolg Soteria-Elemente in die Arbeit auf den psychiatrischen Akutstationen für Patienten mit psychotischen (schizophrenen) Krisen eingebunden. Seit 1997 gibt es die Soteria-Klinik Leipzig, Fachklinik für Suchterkrankungen. In Soteria-Kliniken herrscht nicht die Krankenhausatmosphäre, von der an anderer Stelle die Rede war. Patienten und Angehörige werden als eine Behandlungseinheit gesehen, und nach dem stationären Aufenthalt wird eine Begleitung durch einen Pfleger weiterhin gewährleistet. Der Chefarzt der Münsterklinik Zwiefalten,

Dr. Hans Renz, äußert sich zur besonderen Chance der Behandlung: „Der übliche Weg in der Psychiatrie ist eben häufig, dass die medikamentöse Behandlung ganz klare Priorität hat, obwohl wir wissen, dass Psychopharmaka alleine den Behandlungserfolg nicht garantieren. Das versuchen wir hier anders zu machen. Gerade speziell bei dem Thema Medikamente ist es so, dass der Patient zusammen mit dem Therapeuten entscheidet: nehme ich Medikamente, nehme ich keine Medikamente, wie viele Medikamente nehme ich." Wer sich für das Thema „Soteria" interessiert, findet Weiteres in folgenden Büchern: „Statt Psychiatrie 2", erschienen im Peter Lehmann Antipsychiatrieverlag (2007) und „Soteria im Gespräch. Über eine alternative Schizophrenie-Behandlung", erschienen im Paranus Verlag (2013).

Ich möchte noch von einer Innovation im Bereich der herkömmlichen medizinischen Psychiatrie berichten: Oft verlieren Psychiatrie-Erfahrene durch ihre Erkrankung den Anschluss an die Arbeitswelt. Das Qualifizierungsmodell EX-IN (engl. „experienced involvement") bietet Psychiatrie-Erfahrenen die Möglichkeit einer Beteiligung an der professionellen psychiatrischen Arbeit. Diese Ausbildung ist aus einem europäischen EU-Pilotprojekt entstanden, das als good practice ausgezeichnet wurde. In 11 Modulen und einer Abschlusspräsentation qualifizieren sich die TeilnehmerInnen als Genesungsbegleiter. Die Einbeziehung von „ExpertInnen durch Erfahrung“ kann das Verständnis von und das Vorgehen bei psychiatrischen Interventionen innovativ verändern. Im Flyer der Bewegung ist zu lesen: EX-IN geht von folgenden Grundsätzen aus:

- **Jeder Mensch hat das Potential zur Genesung.**

- **Jede Person kann Verantwortung übernehmen und an allen Entscheidungen, die sie betreffen, beteiligt sein.**

- **Jeder Mensch weiß, was hilfreich für sie/ihn ist.**

„Da wird aus dem Ich-Wissen ein Wir-Wissen“, sagt Dorothea Buck. „Und nun ist es nicht mehr nur krank und defizitär, sondern ein Erfahrungsschatz.“ Das Ausbildungskonzept findet in psychiatrischen und psychosozialen Einrichtungen deutschlandweit zunehmend Beachtung.

Dorothea Buck ist Mitgründerin der Stiftung „Gegen Euthanasie und Zwangssterilisation und für EX-IN“. Das Konzept ist die praktische Umsetzung dessen, was Dorothea Buck seit Jahrzehnten fordert. Mittlerweile wird diese Ausbildungsmöglichkeit in vielen Bundesländern angeboten. Ein weiteres Ziel von EX-IN ist, Psychiatrie-Erfahrenen eine Chance zu bieten, auf bezahlter Basis in jeweils individuell gewünschtem Umfang tätig zu werden. An dieser Stelle sei die Frage erlaubt: Können Psychiatrie-Erfahrene wirklich Vorbilder und Begleiter auf dem Weg aus der Krise für psychisch kranke Menschen sein? Ich meine: Ja; sie sollten in Deutschland einen höheren Stellenwert bekommen, so wie es in Großbritannien und in den Niederlanden schon der Fall ist.

All diese Informationen über alternative Wege in der herkömmlichen medizinischen Psychiatrie habe ich mir inzwischen erschlossen. Solche Recherche-Arbeit war während meiner Erkrankung undenkbar, da diese zu weit fortgeschritten war.
Die Einnahme von Medikamenten während einer Depression im medizinischen Sinn habe ich kritisch beleuchtet. Dies habe ich aus der Sicht einer Betroffenen getan, und ich sage daher: In Akutphasen ist der Einsatz von Medikamenten notwendig, um die Symptome zu bekämpfen.

Es existieren – Gott sei Dank – neben den stationären psychiatrischen Einrichtungen außerklinische Versorgungmodelle wie psychosoziale Netzwerke, Sozialpsychiatrische Dienste und Ambulanzen. Hier finden Betroffene Starthilfen für ein eigenverantwortliches Leben. Das kann z.B. in Tagesstätten oder auch im betreuten Wohnen (das umfasst auch das ambulant betreute Einzelwohnen) geleistet werden. Trotz psychosozialer Versorgungsmodelle, Therapieangeboten und medizinischer Hilfe kann man sich aber als Betroffener mit der Situation auch alleingelassen fühlen. Oft sind Familie, Freunde und Kollegen überfordert mit Depression und psychischer Erkrankung einfühlsam umzugehen. Ein Weg aus der Isolation kann daher eine Selbsthilfegruppe sein. Dies gilt sowohl für Betroffene als auch für ihre Angehörigen und Freunde. Ich habe diesen Weg nicht genommen und mich keiner Selbsthilfegruppe angeschlossen. Daher kann ich nicht über Erfahrungen damit berichten. Aber eines möchte ich an dieser Stelle sagen: Ich wünsche die Erfahrungen von gelebter Gemeinschaft, die ich in der Zeit während des Besuchs einer Tagesstätte machen durfte, nicht nur betroffenen, sondern auch nicht-betroffenen Menschen. Die Tagesstätte hat mir ein Dach für ein behütetes Fortschreiten hinaus aus der schweren seelischen Erkrankung geboten. An dieser Stelle muss ich aber auch betonen, dass es nicht das Angebot der Einrichtung allein war, das mir weitergeholfen hat. Nein, ich habe zum richtigen Zeitpunkt meines Genesungsprozesses an den richtigen Ort (außerhalb der stationären Behandlungsorte) gefunden. Ich kann heute rückblickend sagen, früher oder später hätte es nicht sein dürfen.

Parallel zu dem Besuch in der Tagesstätte – die sogenannte Sozialtherapie – habe ich mit einer Psychotherapie begonnen, zunächst in wöchentlichen Sitzungen, später in größeren Abständen. Die Therapie-Arbeit mit meiner Psychologin hat mich in meiner Genesung vorangebracht. Ihre Haltung, unvoreingenommen auf die Ereignisse zu blicken und die emotionale Distanz zu meiner Erkrankung zu wahren, hat mir sehr gut getan.

Seit meiner Genesung habe ich viele Orte und Aktivitäten gefunden, die mein Wachstum ermöglichen und meine Seele beflügeln: Das Gärtnern im „Interkulturellen Garten", das Singen mit dem VHS-Chor, der Spaziergang im Wald und in der Natur, die Begegnungen mit anderen Betroffenen, der Familie und den Freunden, das Gespräch mit meinem Partner Thomas, und nicht zuletzt die Gottesdienste mit den Seelsorgern Annette Lenhard und Friedhelm Grund im Kirchsaal der Hohe Mark-Klinik. Es sei an dieser Stelle schon auf die Kapitel:

Theaterspielen,
Welch ein Glücksgefühl zu gärtnern,
Von der Bedeutung der Kunsttherapie und
Vom Kraftschöpfen und Spaß am Singen

verwiesen. Ausführliche Gedanken zur jeweiligen Thematik werden dort wiedergegeben.

Eine Station auf dem Weg aus der Krankheit – Rückblick –

In meinem persönlichen Erfahrungsbericht soll genügend Raum für die Zeit sein, die ich in einer Tagesstätte eines psychosozialen Vereins verbracht habe. Ich habe meine Aufzeichnungen und Gedanken zusammengetragen und möchte sie nun hier vorstellen.

Im Sommer 2008 bin ich erkrankt; nach einer Odyssee durch verschiedene psychiatrische Kliniken, dem Suizidversuch im Mai 2010 und anschließenden Krankenhaus- und Reha-Aufenthalten bin ich im Dezember 2010 – zunächst für eine Probewoche – in einer Tagesstätte im Taunus angekommen.

06. Dezember 2010: Angekommen in der Tagesstätte. Hier unter den Betroffenen fühle ich mich unter Gleichgesinnten. Sie nehmen mich in den familiären Kreis auf. Hier muss ich mich nicht hinter meiner Maske verstecken. Das Versteckspiel lasse ich vor der Tür. Ich fühle mich angenommen mit all meinen Schwächen. Meine Erkrankung tritt im Laufe der fünfzehn Monate immer mehr in den Hintergrund. Wenn Fünkchen davon auftreten, kann ich damit umgehen.

Jeden Tag um 12:00 Uhr ein gemeinsames Mittagessen, von den Betreuern zusammen mit den Klienten gekocht. Beim Essen am Tisch ergeben sich lebhafte Gespräche, oft wird gelacht. Jeder der Anwesenden kann sich einbringen, so wie es ihm gut tut. Reichhaltige Angebote runden den Alltag ab und inspirieren mich dazu, mich selbst mit meinen Ideen einzubringen. Das tut gut: So gibt es z.B. auf meine Initiative hin eine Lesung, eine English Tea Party, einen Reisebericht über eine Zug-Reise durch Asien.

Beim wöchentlichen Gesprächskreis mit interessierten Gruppenmitgliedern werden Themen angesprochen, die uns Betroffene auf unserem Weg durch die Krankheit begleiten. Dadurch gewinne ich neue Einsichten und höre, dass die anderen ähnlich ticken wie ich. Monatlich bei den Ausflügen auf Entdeckungsreise zu gehen, lässt die Seele aufleuchten. Die Kreativ-Werkstatt eröffnet mir ungeahnte Spielräume: Kreativität, Entfaltung brachliegender Talente und Freude am Gestalten in Ruhe und mit Geduld. Das ganzjährige Theaterprojekt mit der Theateraufführung am 25. November 2011 als Höhepunkt gibt mir positive Impulse und stärkt mein Selbstbewusstsein. Wir haben es geschafft, welch' eine Freude! – und viel Applaus am Tag der Aufführung.

Wenn ich darüber reflektiere, wie die ambulante Psychiatrie – eben die, die außerhalb der Kliniken stattfindet – funktioniert, kann ich aus meiner Sicht Folgendes anmerken: Es gab ältere Klienten, die die Tagesstätte bereits seit mehreren Jahren besuchten. Sie sind meines Erachtens auf gewisse Weise chronifiziert. Aber vielleicht ist es eine Anmaßung, so etwas zu sagen. Ich habe den Absprung geschafft, weil ich an einem bestimmten Punkt gemerkt habe, dort in diesem geschützten Rahmen geht es für mich nicht mehr weiter. Andere Klienten haben in der gelebten Gemeinschaft mit den täglichen Abläufen ihre Mitte gefunden. Und vielleicht ist es für diese Besucher gut so. In der Tagesstätte habe ich auch vieles über Alkoholismus erfahren. Eine Klientin hat uns erzählt, wie viel sie in ihrem Leben aufgrund ihrer Erkrankung verloren habe. Vieles sei auf der Strecke geblieben. Eine andere Alkoholkranke hat die Tagesstätte nur für kurze Zeit besucht und nach ca. zwei Wochen das Handtuch geworfen. Sie hat sich an mich geklammert und engen Kontakt zu mir gesucht. Ich konnte diese Art der Zuwendung jedoch nicht leisten. Sie musste lernen, für sich selbst Verantwortung zu übernehmen.

Den Besuch der Tagesstätte habe ich im März 2011 – nach 15 Monaten – beendet. Seitdem gehe ich einen Schritt nach dem anderen. Ich denke: Wie lebenswert doch das Leben ist. Blicke ich heute zurück, kann ich abschließend sagen: Tagesstätten geraten manchmal in die Kritik, weil sie spezielle Sondereinrichtungen und nicht genug auf Integration/Inklusion ausgerichtet sind. In den Monaten meiner Zugehörigkeit habe ich in diesem Zusammenhang positive Erfahrungen gemacht und gelebte Inklusion erfahren. Auf der Homepage der Aktion Mensch ist über Inklusion zu lesen: „Jeder Mensch erhält die Möglichkeit, sich vollständig und gleichberechtigt an allen gesellschaftlichen Prozessen zu beteiligen – und zwar von Anfang an und unabhängig von individuellen Fähigkeiten, ethnischer wie sozialer Herkunft, Geschlecht oder Alter."

Was ich aus meiner Zeit in der Tagesstätte sicherlich mitgenommen habe, ist der selbstverständliche tägliche Umgang mit körperlich eingeschränkten und behinderten Menschen. Wir haben ein gegenseitiges Geben und Nehmen praktiziert und gelebt. Die behinderten Tagesstätten-Besucher waren in die täglichen Abläufe eingebunden. Sicherlich gab es Momente, in denen nicht nur ich Rücksicht nehmen und Toleranz walten lassen musste.

Ich kann für mich sagen: Erstaunlich, wie ich mich außerhalb klinischer Psychiatrie behutsam und in kleinen Schritten weiterentwickelt habe. Der Rahmen an Möglichkeiten und die Zeit, die mir in der Tagesstätte zur Verfügung gestanden haben und die ich positiv genutzt habe, taten mir sehr gut. Die Gruppe hat mich gestärkt. Ich habe mich aufgehoben gefühlt. Dieses Gefühl möchte ich nicht mehr missen. Ich bin ein Teil der Gruppe. Ich bringe mich in die Gruppe ein und setze dadurch vielleicht etwas in Gang. Das hat mir ungemein viel Stärke und Selbstbewusstsein gegeben. Dieses Gefühl möchte ich mir bewahren für die nächsten Schritte in meinem Leben. So bewusst, wie ich mit diesen Gefühlen jetzt umgehe, sie erlebe, habe ich das in den letzten Jahren nicht getan. Vor und während meiner Erkrankung bin ich auf der Stelle getreten, habe mich nicht nach vorne bewegt. Ich spüre, jetzt bin ich stark und werde diese Stärke auf meinen weiteren Lebensweg tragen. Dafür bin ich dankbar! Nun werde ich weiterziehen…

Wachstum durch Erkrankung

Ich bin offen für den Prozess
der Veränderung gewesen.
Ich bin flexibel gewesen.
Ich bin engagiert gewesen.
Ich bin der Motor für die Gruppe gewesen.
Ich habe Verantwortung übernommen,
Ich habe mich verantwortlich gefühlt, auch für die
anderen Gruppenmitglieder,
Ich bin g e w a c h s e n.

Theaterspielen

Aus Erzählungen weiß ich, dass mein Opa Emil bereits in seinem sudetendeutschen Heimatort Dobischwald Theater gespielt hat. Sein Sohn Willi, das jüngste seiner drei Kinder, hat diese Tradition als junger Mann in Vornbach fortgesetzt. Ich habe mich in der Tagesstätte unter anderem für das Angebot „Theaterspielen" interessiert. Die Mitarbeit in der Theatergruppe hat mich in meiner Genesung wesentlich vorangebracht. Die von den Beteiligten selbst erarbeitete Version von „Romeo und Julia" mit dem Untertitel „Liebe zwischen Traum und Wirklichkeit" war ein voller Erfolg. Die Akteure sind in dem Jahr der Vorbereitung zu einer festen Gruppe zusammengewachsen. Von dem Applaus und den Gefühlen nach der Aufführung zehren die anderen Akteure und ich heute noch. „Es hat viel Spaß gemacht. Es war ein anderes Miteinander, ein hier Ankommen und sich darauf Einlassen", schildert die Sozialpädagogin und Kunsttherapeutin Stefanie Kaufeld die aus dem nicht alltäglichen Theaterprojekt gewonnenen Erkenntnisse.

Die Zeit in der Tagesstätte, die ich in der Theater-AG zugebracht habe, hat bei mir Heilungsprozesse in Gang gesetzt. Die Theater-Arbeit hat mich gestärkt in meinem Selbstbewusstsein. Sie hat eine Auseinandersetzung mit inneren und äußeren Prozessen ermöglicht. Die Zusammenarbeit in der Thea-

Die Theateraufführung im Herbst 2011

tergruppe mit Petra und Christoph (Namen geändert) gestaltete sich zunächst kompliziert, weil sie mehr Aufmerksamkeit benötigten als die anderen. Doch je länger die Zusammenarbeit und die Proben währten, umso mehr sind die Gruppe und Petra und Christoph gewachsen. Die beiden haben ihre Rolle als Herausforderung angenommen. Tragischerweise hat leider nur Christoph bei unserer Theaterpremiere mitgespielt und Großartiges geleistet. Petra und daneben der durch Epilepsie beeinträchtigte Günter (Name geändert) sind im Sommer noch vor der Premiere verstorben; Christoph nicht sehr lange nach der Premiere. Das hat nicht nur mich traurig gestimmt.

„Oh Mann wie konntest du von uns gehn? / jetzt soll ich dich nie mehr sehn / wir vermissen dich / was machen wir jetzt / oh wir vermissen dich."
Xavier Naidoo

Wenn alles schiefgeht, verzweifelt man schnell.
Denkt, da muss es doch ein Licht geben, das für dich scheint.
Hin- und hergerissen denkt man,
was wird werden, wirst Du glücklich werden?
Was wird werden, wird es das Beste sein?
Wer allein kann das besser wissen als Du.
All meine Träume!
Was wird werden?
Ist es falsch zu träumen?
Sag, ist es richtig, auf dem Boden zu stehen,
den Tatsachen in die Augen zu sehen
und dabei zugrunde zu gehen?
Sag, was ist richtig?
Ein Leben ohne Träume!
Träume, die Dich glücklich machen.
Träume, die gar nicht so unrealistisch sind.
Sag, sind auch diese Träume nur Schäume?
Sag mir, ist es falsch zu träumen?

---

geschrieben während eines Au-Pair-Aufenthaltes in England 1979

Orte, an denen ich Wachstum, Reife und Einmaligkeit erfahre

Befreien	*Chor / Schreiben / Tanzen*
Beflügeln	*Aroha / Spaziergang*
Bestärken	*Gartenarbeit / Malen / Theaterspielen*
Lesen	*Bücher / Zeitungen / Magazine*
Beseelen	*Gottesdienstbesuch / Musik hören*

Rituale und Nischen schaffen, die Halt und Orientierung geben und zu Wachstum geleiten.

Welch ein Glücksgefühl zu gärtnern

„Mitte Märzen soll der Bauer im Feld rumsterzen", lautet eine alte Bauernregel. Egal ob Acker oder Garten – den Pflanzenfreunden juckt es in den Fingern. So auch im Interkulturellen Garten, wo seit 2007 inzwischen ca. zwanzig Menschen mit verschiedenen Migrationshintergründen gemeinsam ein Grundstück pflegen. Im Oktober 2011 habe ich mich dem Integrationsprojekt angeschlossen. Man sät und wartet auf die Früchte, die uns geschenkt werden. Und da bin ich auch schon wieder bei meiner Erkrankung: Alles, was ich getan habe, hat mich aus dem tiefen Loch, in dem ich festsaß, in eine neue Richtung geführt. Meine Augen, meine Ohren und meinen Mund habe ich für die Genesung geöffnet. Ich kann in der Natur und im Garten das Wachstum der Blumen, Insekten und Vögel beobachten. Ich habe einen Ort gefunden, an dem ich inne halten kann. Beim Gärtnern kann ich mich langweilen: Sich langweilen bedeutet, einige Augenblicke lang nicht zu wissen, was man mit seiner Zeit anfangen will, und daraufhin aus sich selbst heraus, aus der eigenen Phantasie und den eigenen kreativen Quellen eine Beschäftigung zu finden.

Die Vögel zwitschern. Der Regen prasselt auf mich nieder. Die Erdbeerpflanzen sind jetzt an der Reihe, von mir eingepflanzt zu werden. Wo soll der

Standort sein? Neben dem Rhabarber könnten sie anwachsen und sich ausbreiten. Eine Kräuterecke ist auch schon angelegt. Der pakistanische Nachbar hat Schnittlauch, Petersilie, Knoblauch gepflanzt, auch Bohnenkraut. Die Samen kommen von der brasilianischen Mitgärtnerin. Der Wiesenfrauenmantel – auf dem Herbstmarkt in Wetzlar gekauft – ist angewachsen und lässt schon erste zartgrüne Blätter zum Vorschein kommen.

In ihrer Geschichte nahmen die Menschen sehr früh Blumen in ihre Obhut. „In den Gärten fanden sie eine neue Heimat. Der blumenpflegende Mensch wurde zum Blumenzüchter, der Liebhaber zum Gärtner. Aus der Welt der Antike wanderte die Blume mit dem Christentum in die nordischen Länder. Hier werden die Gärten der Klöster zu Blumen-Horten ersten Ranges. Die Blumen schmücken nicht nur Garten und Haus; geschnitten und zum Strauße gewunden, dienen sie als Zeichen des Grußes, der Huldigung und der Erinnerung."

Blumen sind jedoch nicht nur zur Freude gegenwärtig, sondern auch im Leide.[58]

Die Schriftstellerin Eva Demski sagt: „Blumen sind nicht einfach Blumen, dahinter stehen Geschichten." Genauso – meint die Frankfurter Floristin und Gärtnerin Marianne Beuchert – wie die Bepflanzung und Dekoration von Vorgärten Bände sprechen.

[58] „Blumen und Schmetterlinge", Deutsche Geschichte, dtv.

„Ein Garten will – immer – etwas anderes lieber wachsen lassen, als das, was wir ihm einpflanzen. Das ist seine Natur, und Gärtner sein heißt, sein Stück Erde zu etwas zu bringen, was es von allein nicht täte.“[59]

Martina beim Pflücken von Blumen

Auch Hesse war ein begeisterter Gärtner; nicht nur in seiner Erzählung „Klingsors letzter Sommer“ kommen die Casa Camuzzi und der Garten in Montagnola im Tessin immer wieder zur Sprache. In dem autobiografischen Text „Beim Einzug in ein neues Haus“ (1931) ist zu lesen: „Manches hat sich auch hier während der zwölf Jahre geändert, nicht

[59] Eva Demski: Gartengeschichten, Frankfurt a. M. 2009.

bloß in meinem Leben, sondern auch im Hause und Garten." Das Haus und den Garten hat er Dutzende Male gemalt und gezeichnet. Auf seinen vielen Aquarellen – es mögen an die dreitausend sein – hat er seine Tessiner Wahlheimat gepriesen und verewigt. Man kann durch Hesses Augen die Eigenart des Tessins sehen lernen, so schreibt Volker Michels im Nachwort zu „Tessin. Betrachtungen, Gedichte und Aquarelle des Autors". Hesse hat sich im Malen verwirklicht – und sein Glück im Gärtnern und beim Beobachten von Natur und Landschaft gefunden.

Meine Tante sagte mir jüngst: „Gärtner wird man durch gärtnern." Das kann ich inzwischen bestätigen. Ich bin so gespannt auf die Pflanzen, die ich ausgesät habe. Voller Erwartung begutachte ich meine Aussaat in den Anzucht-Töpfchen auf der Loggia unserer Wohnung.

All dieses Empfinden war mir in der Zeit meines Krankseins abhanden gekommen. „[E]in Wesen, das nicht mehr essen und trinken und keinen Menschen mehr sehen will. Und keine Blumen, und keine Bäume und keinen Himmel mehr, ein Wesen, dessen Qual nur einen Brennpunkt hat: das übermächtige Verlangen, nicht mehr zu sein, niemals gewesen zu sein."[60]

---

[60] Caroline Muhr: Depressionen. Tagebuch einer Krankheit.

Vom Garten aus sehe ich die Frankfurter Skyline mit dem Bleistift, dem Messeturm. Ein beruhigendes Gefühl, inmitten blühender Natur zu sitzen und den Gedanken freien Lauf zu lassen. Jede Betätigung dient der Reifung der Seele. Nach neuesten Ergebnissen der Hirnforschung gilt das Sprüchlein „Was Hänschen nicht lernt, lernt Hans nimmer mehr“ nicht mehr. Lebenslanges Lernen ist uns gegeben. So habe ich mir mit dem Gartenprojekt ein neues Arbeits- und Erfahrungsfeld erschlossen.

Gerne würde ich die Düfte im Garten, den Duft von gebrühtem Kaffee und den vertrauten Geruch des Partners wahrnehmen. Leider habe ich durch den Unfall Schädel-Hirn-Verletzungen davon getragen und den Geruchssinn verloren. Aber die Erinnerung an die Gerüche ist mir geblieben.

Von der Bedeutung der Kunsttherapie

Bis heute wird immer wieder Beuys' These: „Jeder Mensch ist ein Künstler" zitiert. Im Mittelpunkt seiner Ideen und Konzepte steht die Forderung nach der Entwicklung der kreativen Fähigkeiten jedes einzelnen Menschen.[61]

„Beim Tun locker werden. Sich vom Zwang, wie das Endprodukt auszusehen hat, lösen. Offen werden und wahrnehmen, was das Material werden will. Ganz im Fluss und ohne Spannung entstehen die schönsten Objekte. Beim Filzen kommt es auf die Geduld an, aber es gibt auch immer wieder meditative Momente."[62]

Noch eine weitere Aussage zum Thema Kunst: Die Frankfurter Künstlerin Heide Lauterbach sagt in einem Interview mit der Frankfurter Rundschau: „Kunst ist, was lebendig hält. Wenn man Glück hat, bringt es einen über sich selbst hinaus, zu etwas hin, was man gar nicht von sich weiß." Tätigkeiten, die Freude machen, halten Geist und Körper lebendig. Ich habe viele Betroffene erlebt, die sich über das in der Ergotherapie Geschaffene gewundert und gefreut haben. Die Kunsttherapie hat sich bereits seit vielen Jahren bewährt. Viele Therapiestunden habe ich im Laufe der klinischen Aufenthalte erleben dürfen. Beim Malen, Zeichnen, Kleben, Basteln, For-

---

[61] Wolfgang Boesner, „Jeder Mensch ist ein Künstler". Zur Aktualität der Aussage von Joseph Beuys, in: Kunst & material 5/6, 2012.

[62] Bettina Müller, http://www.eigenwollig.de/kurse/

men, Modellieren, Tanzen, Schreiben und Singen werden Konflikte und Blockaden gelöst und auf diese Weise körperliche und seelische Erkrankungen in ihrer Heilung gefördert.

Biografische Konflikte, die Verarbeitung von emotionalen Krisen und die Heilung von psychischen Erkrankungen sind Felder, auf denen die Psychosoziale Kunsttherapie wirksam werden kann. Doch muss der Patient auch bereit sein, sich auf das Kreative einzulassen. Das ist mir oft nicht gelungen. Die Beschäftigungstherapie habe ich während meiner stationären Aufenthalte oft als Pflichtprogramm absolviert. Doch später in der Tagesstätte ist die Kreativität oftmals mit mir durchgegangen. Beim Kreativsein eröffnet sich ein Zeitabschnitt, in dem unsere Gedanken frei fließen können.

Das Diakonische Werk Hochtaunus startete im Juni 2010 in Wehrheim ein Offenes Atelier. Das Projekt „Der Seele Raum geben" wird durch die Aktion Mensch gefördert. Es bietet Menschen in schwierigen Lebenssituationen oder mit psychischen Belastungen außerhalb stationärer Einrichtungen die Möglichkeit, den eigenen künstlerischen Ausdruck zu entwickeln. Dies kann über die Malerei, die Musik oder das Schreiben geschehen. Solch eine Initiative ist ein Hoffnungsschimmer für psychisch erkrankte Menschen und trägt dazu bei, einer Stigmatisierung dieser Menschen entgegenzuwirken.

Vom Kraftschöpfen und Spaß am Singen

Seit Oktober 2011 bin ich Mitglied im Volkshochschul-Chor. Selten versäume ich die Chorproben. Ich singe Sopran und merke jedes Mal, wie das Singen mich mit Freude erfüllt; beschwingt gehe ich nach der Probe nach Hause.

Paul Gerhardt hat seinen Glauben in Lieder gefasst. Singen verbindet, Menschen finden so vielleicht zum Glauben, und ihr Leben wird neu geordnet. Singen macht Spaß. Manchmal habe ich Töne, und manchmal habe ich sie nicht.
„Am Sonntag Kantate erfahren wir, dass das Lied wesentlicher Bestandteil des gemeindlichen Lebens ist. Das lobpreisende Lied kann nicht nur die Herzen fröhlich machen, sondern auch Türen aufschließen; das Klagelied hilft nicht nur, Not und Sorgen abzulegen, sondern vermag auch neue Hoffnung zu geben“ (www.daskirchenjahr.de).

Meine Betrachtungen über das Singen führen mich auch zu der im Jahr 2012 zur Heiligen und Kirchenlehrerin erhobenen Hildegard von Bingen (1098-1179). Sie ist eine der großen Persönlichkeiten des europäischen Mittelalters, und es gebührt ihr Aufmerksamkeit als einer wichtigen Denkerin, Mystikerin und Künstlerin. Die heilige Hildegard hat ihre Visionen nicht nur in Form von Büchern gefasst. Sie hat auch komponiert und 77 liturgische Gesänge sowie das Mysterienspiel „Ordo virtutum" („Spiel der Kräfte") verfasst. „Das Singen allein ermöglicht es dem Menschen, die Seele in Einklang mit dem Körper zu bringen. Die so harmonisierte Körper-Seele-Einheit kann ihren Platz im Universum einnehmen", schreibt Marianne Richert Pfau.[63] Bei Hildegard bringt Musik das Lob des Dreieinigen Gottes zum Klingen.

Auch Martin Luther hörte „den Heiligen Geist in der Musik am Werk." Nach Prof. Peter Bubmann gelang Luther „mit seinen Liedern ein solch durchschlagender Erfolg, dass er noch heute zu den meistabgedruckten und -gesungenen Liedermachern im Gesangbuch zählt. Damals wie heute begegnen breitere Bevölkerungskreise der Theologie Luthers zunächst oder sogar ausschließlich über seine Lieder." Das Jahr 2012 hat die Evangelische Kirche in Deutschland (EKD) dem Thema „Reformation und Musik" gewidmet. Der EKD-Ratsvorsitzende Nikolaus Schneider äußerte sich dazu: „Musik war der Herzschlag der Reformation". Und die westfälische Präses Annette Kurschus sagt, heutzutage diene die Musik der Kirche der Verbreitung des Evangeliums ebenso wie das gesprochene Wort. Ohne Musik könne die Kirche nicht leben.

Insbesondere bei den modernen Gottesdiensten im Kirchsaal der Hohe Mark-Klinik erlebe ich

[63] http://www.klassika.info

immer wieder die Kraft, die beim Singen ausströmt. Singen macht das Herz weit und schafft Gemeinschaft. Viele unter den Besuchern sind Betroffene – erkennbar an ihren Pantoffeln und der Freizeitkleidung. Sie singen laut und kräftig mit – selbst viele der anwesenden männlichen Besucher. Versuchen Sie – liebe Leser – es doch auch einmal. Nicht umsonst gibt es in der Klinik ein spezielles Therapieangebot: Dienstags steht um 19:15 Uhr Chorprobe auf dem Programm.

Die Kraft, die im Schreiben liegt

Mein Schwiegervater pflegte zu sagen: Der frühe Vogel fängt den Wurm. Also bin ich heute früh am Werk, um zu schreiben.

Peter Kurzeck habe ich als Autor schätzen gelernt. Auch weil er u.a. in seinen Romanen über seine „gelebte" Zeit in Frankfurt in den Stadtteilen Bockenheim, Ginnheim und Eschersheim berichtet. Ganz in der Nähe, im Stadtteil Hausen, bin ich aufgewachsen. Kurzeck thematisiert in seinen Romanen auch den Prozess des Aufschreibens seines alltäglich Erlebten. Mir geht es ähnlich wie ihm. Ich sammle Zeitungsausschnitte und Gedanken und Zitate und notiere sie auf Zetteln. Anschließend kommen diese einzelnen Zettel in den Holzkasten mit Schiebedeckel. Zurzeit treibt mich der Gedanke um: Wie füge ich die Teile, die sich da in der Kiste angesammelt haben, zusammen? Der Anfang ist damit gemacht, dass ich mich in eine Ferienwohnung in Vornbach in Klausur begeben habe. (Thomas hat mich auf diese Idee gebracht.) Hier kann ich ungestört von äußeren Ablenkungen arbeiten.

„Und dann geht dir auf, was du sowieso weißt:
Dass wieder die Zeit vergangen ist. Und das sie immer weiter vergeht. Man weiß es und kann es nicht fassen."
(„Vorabend", Peter Kurzeck)

Seit dem Beginn meiner Erkrankung im Sommer 2008 ist viel Zeit ins Land gegangen. Im Zettelkasten finden sich Notizen, die ich etwa ab Ende 2010 angefangen habe zu schreiben. Ausgestattet mit meinem neuen Watermann-Füllfederhalter habe ich die folgenden Zeilen zu Papier gebracht:

Ich habe ein langes, tiefes Tal durchschritten. Oft bin ich dabei auf der Stelle getreten, habe mich nicht weiterentwickelt. Dann habe ich unter dem Schirm der Tagesstätte einen Ort gefunden, an dem ich nach und nach Schritte gewagt habe, Entwicklungsschritte. Mit viel Elan und Selbstvertrauen ist es mir gelungen, meiner Krankheit ihren Mittelpunkt zu nehmen. Der Kopf ist nun frei für neue Schritte.

Bewusst geworden ist mir auch, dass es Zeit gebraucht hat, um mein Selbstwertgefühl zu stabilisieren. Voraussetzung dafür: Ich musste all die vielen Kränkungen, die ich sicherlich im Laufe der Jahre auch in meiner Beziehung erlebt habe, aufarbeiten. Zwischen Kränkung und Selbstwertgefühl besteht ein Zusammenhang. Bärbel Wardetzki thematisiert in ihrem Buch „Ohrfeige für die Seele", wie Kränkungen sich einprägen: „Je selbstbewusster ein Mensch ist, je überzeugter er von sich selbst ist und von dem, was er tut und sagt, umso weniger kränkbar wird er sein. Das gilt jedoch nur für Menschen, die selbstbewusst sind und nicht nur selbstbewusst auftreten. Diese Menschen haben eine narzistische Selbstwertproblematik und verwech-

Porträt Peter Kurzeck – Illustrator Andreas Risse –

seln Sein mit Schein. Sie sind sehr anfällig für Kränkungen. Wir dürfen nun aber nicht meinen, dass für Menschen mit einem stabilen Selbstbewusstsein Kränkungen kein Thema sind. Denn Kränkungen betreffen jeden Menschen, jedoch unterschiedlich häufig und in unterschiedlicher Stärke."

Peter Kurzeck ist getrieben, die Zeit einzufangen. Alles festzuhalten, damit es nicht vergeht. 2011 bin ich dem Schriftsteller bei einer Lesung in Kelkheim persönlich begegnet. Ich habe die Gelegenheit ergriffen und ihm erzählt, dass ich sein Hörbuch mit dem Titel „Ein Sommer, der bleibt" gehört habe. Ich habe die vier CDs voller Erinnerungen, die frei erzählt und eingesprochen sind, gehört, als es mir sehr schlecht ging. Darüber berichtete ich Kurzeck und auch über mein Vorhaben, eines Tages meine Krankheitsgeschichte aufzuschreiben. Seine Worte: „Schreiben Sie, das kann helfen."

Peter Kurzeck, seine Mutter und Schwester – 1946 aus Böhmen vertrieben – sind nach dem Krieg im hessischen Ort Staufenberg bei Gießen einquartiert worden. Seinen Erzählungen von dem Dorf seiner Kindheit folgte ich mit kurzen Pausen mehrere Stunden lang. Ich war wie gebannt, und vor meinen Augen entstanden Bilder zum Text. Dadurch wurde ich aus dem Patientenzimmer der Klinik, in dem ich zu diesem Zeitpunkt wohnte, in eine andere Welt entführt. Es sind dadurch Erinnerungen an meine Kindheit und die damaligen Gefühle aufgekommen. Meine Zimmernachbarin aus Eritrea konnte es gar nicht fassen, dass ich mich über einen so langen Zeitraum nicht rührte. Rückblickend kann ich sagen, dass es mir von diesem Tag an besser gegangen ist. Ich habe erkannt, dass auch ich aus meinen Erinnerungen Kraft schöpfen kann. Ich habe meinen Horizont erweitert, habe mich Neuem gestellt und mich ausprobiert. Das alles war nur möglich, weil ich mir selbst die Zeit für die Schritte gegeben habe. Es war auch möglich, weil ich – wie der Psychologe Robert Betz das formuliert hat – den Weg, den ich gegangen bin, gewürdigt habe. „Es geht nicht um Fehler, sondern nur um Erfahrungen, die gemacht werden wollten“ (in: robert-betz.com /mediathek/aktueller-brief 2013/januar-2013/).

Alles kaputtgemacht.
Nur durch ein paar Worte.
Worte, die wie Nägel
in mich eingedrungen sind.
Sie haben einen schlimmen
Schmerz hinterlassen,
denn sie haben den Nagel
auf den Kopf getroffen.

---

geschrieben 1984

Die ehemalige Stiftskirche der Benediktiner-Abtei Vornbach dient seit der Auflösung der Abtei im Jahr 1803 als Pfarrkirche Mariae Himmelfahrt; sie ist einer der schönsten Sakralbauten der Diözese Passau. Es verbirgt sich dort ein Schatz im weitgehend noch barocken Urzustand: die Egedacher Festorgel von 1732.

Die Wurzeln finden

Zu den Orten, die glückliche Empfindungen bei mir hervorrufen und auch schon bei meiner Oma hervorgerufen haben, gehört zweifelsohne Vornbach. Als Ehepaar haben wir im Laufe der zwanzig gemeinsamen Jahre drei magische Orte, die uns sehr am Herzen liegen, gefunden. Aber nur Vornbach – das ist mir erst jüngst klargeworden – löst ein tief in mir liegendes Gefühl aus, welches ich als Heimatgefühl bezeichnen möchte.

Wenn ich – die Besucherin aus dem „Hesseland“ – im Passauer Land weile und durch den Ort gehe, sehe ich die barocke Klosterkirche mit dem Friedhof, den Bauernhof der Verwandtschaft, die Flüsse Inn, Donau und Ilz, die Orte Neuhaus, Schärding, Neuburg. Und Passau mit dem barocken Dom St. Stephan und der Wallfahrtsstätte „Mariahilf“ mit der langen Stiege. Ich erinnere mich: Als kleines Mädchen habe ich meine Oma zur Wallfahrt dorthin begleitet. Die Stiegen nahmen und nahmen kein Ende. Zum Thema Kindheitstage passt auch folgende Anekdote, die im Fundus meiner Erinnerungen einen besonderen Platz einnimmt. Meine Oma und ich stehen auf dem Friedhof am Grab meines Urgroßvaters. Auf seinem Grab liegt das Materl (Kreuz), weil es noch lasiert werden sollte. Die kleine Martina – ich mag etwa zwei Jahre alt gewesen sein – sagt zu ihrer Oma: „Schau Oma, lieb‘ Gott hingefallen.“

Meine Oma Aloisia, die wir in unserer Familie liebevoll Bayern-Oma zu nennen pflegen – die andere Oma ist die Taunus-Oma –, ist im Juli 1946 mit ihren drei Kindern im Alter von eindreiviertel bis vierzehn Jahren nach der Vertreibung aus dem Kuhländchen, einem Teil von Nord-Mähren, Sudetenland (der Heimatort ist Dobischwald, Bezirk Odrau) in diesen Ort gelangt.

Die Enteignungs- und Vertreibungsdekrete, die „Beneš-Dekrete“ gehen auf den früheren tschechoslowakischen Präsidenten Edvard Beneš (1884-1948) zurück, der die 143 Dekrete im Londoner Exil vorbereitet hatte; 1946 wurden sie von der provisorischen tschechoslowakischen Nationalversammlung gebilligt. Auf der Grundlage einiger dieser Dekrete wurden die seit Jahrhunderten in Böhmen und Mähren lebenden mehr als drei Millionen Deutschen sowie Tausende von Ungarn entrechtet, enteignet und vertrieben. Die westlichen Siegermächte akzeptierten die Vertreibung der Sudetendeutschen. Die Sudetendeutschen wurden kollektiv, vollständig und entschädigungslos enteignet und – wie Millionen andere Deutsche aus dem Osten und Südosten Europas – aus ihrer jahrhundertealten Heimat vertrieben. Angesichts der grauenhaften Bilder von den Verbrechen des NS-Regimes, die damals um die Welt gingen, blieb die Weltöffentlichkeit – mit wenigen Ausnahmen – gegenüber der Vertreibung von über 14 Millionen Deutschen aus ihrer Heimat stumm. Nach neuesten Untersuchungen kamen ungefähr 165.000 Sudetendeutsche direkt bei der Vertreibung ums Leben, weitere ca. 105.000 starben nach der Vertreibung in den Aufnahmegebieten an den Folgen, insbesondere an Hunger, hungerbedingten Krankheiten und mangelnder ärztlicher Versorgung. Von den in der Heimat verbliebenen Sudetendeutschen verließen später rund zwei Drittel als Aussiedler das Land. Eine gute Quelle zum Thema Vertreibung ist das zweibändige Werk „Die Vertreibung der deutschen Bevölkerung aus der Tschechoslowakei. Sonderausgabe. Eine Dokumentation." Es enthält sehr viele Dokumente, die hier nicht alle erwähnt werden können. Und in der Bundesrepublik wurden die Flüchtlinge aus dem Sudetenland, aus Schlesien, Ostpreußen oder dem Baltikum wahrlich nicht mit offenen Armen aufgenommen. Dazu war die Lage viel zu chaotisch – zu den Vertriebenen kamen die Ausgebombten, die ehemaligen KZ-Häftlinge und viele andere Heimatlose. Alle suchten nach Unterkunft und Versorgung. Die Vertriebenen hatten wie viele andere Kriegsverlierer zumeist traumatische Erlebnisse hinter sich.

Die vielen Heimatverbände, die nach dem Krieg im besetzten Deutschland gegründet wurden, sollten die aus der Heimat weit verstreuten Sudetendeutschen zusammenführen und eine Verbindung untereinander aufrecht erhalten. Der Verzicht auf Rache und Vergeltung für die Vertreibung wurde schon sehr bald von den Heimatvertriebenen in einer Charta festgeschrieben. Ob diese Charta auf tschechischer Seite Beachtung fand, kann ich nicht sagen. „Die Charta der deutschen Heimatvertriebenen" wurde von den Sprechern der Vertriebenenverbände bzw. ostdeutschen Landsmannschaften am 5. August 1950 unterzeichnet und am folgenden Tag in einer Massenkundgebung in Stuttgart-Bad Cannstatt verkündet. Sie nennt „Pflichten und Rechte" der Flüchtlinge und Vertriebenen, die nach dem Zweiten Weltkrieg bis 1949 die deutschen Ostgebiete und andere Länder Ost- und Südosteuropas verlassen mussten. Unter diesen Rechten und Pflichten wird vor allem der Verzicht auf Rache und Vergeltung für die Vertreibung verstanden, das Schaffen eines geeinten Europas und die Beteiligung am Wiederaufbau Deutschlands und Europas. Darüber hinaus wird ein „Recht auf Heimat" postuliert, das ein von „Gott geschenktes Grundrecht der Menschheit" sei, und seine Verwirklichung gefordert.

Im Februar 2013 sprach der damalige Premier Tschechiens, Petr Necas, (inzwischen wegen Rücktritt leider nicht mehr im Amt) vor dem Bayerischen Landtag und bedauerte die Vertreibung der Sudentendeutschen nach dem Zweiten Weltkrieg. „Wir bedauern, dass durch die Vertreibung und zwangsweise Aussiedlung, die Enteignung und Ausbürgerung unzähligen Menschen viel Leid und Unrecht angetan wurde. [...] Die Eigentumsverhältnisse vor dem Krieg können nicht wieder hergestellt werden." Necas Rede wurde von den Vertretern der Sudetendeutschen sehr positiv aufgenommen.

Zum Hauptzweck von „Alte Heimat. Verein heimattreuer Kuhländler e.V." gehört die Förderung der Kulturarbeit zur Sicherung der Kuhländler Identität und des Zusammenhalts. Dazu gehört auch die Herausgabe der Mitgliederzeitschrift. Viele Heimatvertriebene haben ihre Erinnerungen aufgeschrieben. So ist in Ferdinand Sendenskys „Dobischländer Heimatbuch“ zu lesen, dass im Kuhländchen in der Gemeinde Dobischwald im Jahre 1945 die Gesamteinwohnerzahl 421 betrug. 315 der Einwohner wurden ausgewiesen. Bei der Volkszählung im Jahre 1900 waren insgesamt 414 Einwohner gezählt worden, davon 7 Tschechen.

Aus den vielen Erzählungen und seinen eigenen Erinnerungen berichtet mein Onkel Willi – das jüngste Kind meiner Oma – über unsere Heimatgeschichte und die Zeit der Vertreibung. Ich möchte ihn hier zu Wort kommen lassen:

In ihrem Heimathaus in Dobischwald wurde Mama mit ihren drei Kindern von dem im Dorf ansässigen tschechischen Bürgermeister über die Aussiedlung informiert. Beim Besuch des tschechischen Bürgermeisters war noch nicht klar, dass es sich um eine Vertreibung handeln würde. Es wurde suggeriert, dass „die Deutschen“ nur für einen begrenzten Zeitraum im Lager sein sollten. Es gab Übergriffe, aber das sollen Tschechen aus der Stadt Odrau gewesen sein. Es waren zwar vorher schon zwei Transporte zusammengestellt worden, aber über die genauen Pläne der Tschechen wusste niemand Bescheid. Mama hat mit Tante Marie das ganze Haus von oben bis unten geputzt. Es wurde auch eine frische Tischdecke auf den Esstisch gelegt und eine Vase mit Blumen aufgestellt. Erst nach dem Lageraufenthalt in der Kreisstadt Odrau und der Verladung in die Viehwaggons war klar, dass dieses Abenteuer noch lange nicht zu Ende sein konnte. Die Transportlisten für den V. Transport, der am 23. Juli 1946 Odrau verließ, verzeichnen ca. 1.200 Personen. Die Belegung von Waggon Nr. 28 lässt erkennen, dass außer meiner Familie noch mein Opa, Tante und Bekannte dabei waren. Im neuen Kuhländchen-Heimatbrief sind Transportlisten mit dem Datum des Grenzübertritts abgedruckt. Nach drei Tagen quer durch die Tschechoslowakei überquerten wir die Grenze in Furth im Wald, das müsste somit am 25. Juli 1946 gewesen sein. Dort wurden wir in einer Baracke entlaust, also mit dem Pulver eingestäubt, ob nun die kleinen Tierchen vorhanden waren oder nicht. Der nächste Bahnhof war Schwandorf; von hier erfolgte die weitere Verteilung in die Kreise Eschenbach, Regensburg und Passau. Gesamt-Personenzahl dieses Transports: 1.201; wie Ferdinand Sendensky im „Heimatbuch Dobischwald" schreibt. Von dort ging es dann mit der Eisenbahn weiter nach Passau, von da mit Bus oder LKW weiter nach Vornbach am Inn. Wären wir mit dem I. oder II. Transport ausgesiedelt worden, so wären wir nicht in Vornbach, sondern im Odenwald oder in Binswangen/Günzburg bei Augsburg gelandet. In Vornbach wurden die Familien von den Bauern wie auf einem Jahrmarkt ausgesucht und mit Pferdefuhrwerken in das neue Zuhause gefahren. Die Familie von Mama mit drei Kindern wollte keiner der großen Bauern. So kam Mama auf ein kleines landwirtschaftliches Anwesen, zu einem im Volksmund „Häusler" genannten Kleinbauern. Mama hatte dann vor dem Großvater der Hausherrin zunächst Angst, da dieser immer schimpfte. Allerdings verstand ihn Mama nicht richtig, bis Frau M. sie dann aufklärte, dass er nicht über sie, sondern über die Gemeinde schimpfte, da trotz Zusage kein Ofen und kein Herd zur Verfügung gestellt wurden. Mama musste bei Frau M. in deren Küche kochen. Frau M. war eine herzensgute Frau und half, wo sie nur konnte. Zu Weihnachten 1946 stellte sie Mama einen Christbaum und einen Teil ihres Christbaumschmucks zur Verfügung! Wer machte das schon?

Herbst 2013: Blick auf den Inn

Hier endet der Bericht meines Onkels und soll nun um meine eigenen Erinnerungen ergänzt werden. Hinter meiner Oma lagen schlimme Jahre der Kriegszeiten und der Vertreibung und Entwurzelung. Vor ihr lagen ein Neuanfang und immer die Hoffnung, dass der Ehemann noch aus dem Krieg heimkehrt. Seit Januar 1945 wurde mein Opa an der

Ostfront vermisst: Heim – in die nun für seine Familie neue Heimat – ist er nicht mehr gekommen. Meine Oma musste, um zumindest eine kleine Witwenrente zu erhalten, meinen Opa am 26. Juni 1963 für tot erklären lassen. Sie hat lange mit sich gerungen, bis sie zu einer Unterschrift bereit war. Das habe ich von meinem Onkel gehört.

Ich bin aufgewachsen ohne besonderen Bezug zur Vergangenheit meiner Eltern. Sicherlich habe ich gewusst, dass meine Eltern Heimatvertriebene waren. Ihre Heimat habe ich als Kind nicht vor Augen gehabt, da ich dort nie gewesen bin. Doch heute erinnere ich mich an folgende Situation: Wir, das sind meine drei Cousinen und zwei Geschwister, alle noch unter zehn Jahren, sitzen in der guten Stube. Unsere Oma erzählt uns Geschichten aus ihrer Heimat, aus der Zeit als mein Vater Emil und seine Schwester Traudl noch kleine Kinder waren. Ein Strahlen lag auf ihrem Gesicht, das wir Enkelkinder gar nicht von ihr kannten. Ich als ältestes der Kinder konnte das seinerzeit schon beurteilen. Durch die Vertreibung und das Kriegsgeschehen haben sich mit Sicherheit viele Ängste bei meiner Oma manifestiert. Ein deutsches Schicksal, in dessen Zentrum der Verlust der Heimat, der wirtschaftlichen Besitztümer und des Lebenspartners stehen. Es wundert nicht, dass mein Vater wohl deshalb auch ein ängstlicher Mensch geworden ist, der vor allem unter Verlustängsten gelitten hat. Auch sein

Sich-Sorgen-Machen um die Familie ist sehr ausgeprägt. Die Autorin Beate Felten-Leidel spricht in ihrem Angstbuch „Hasenherz und Sorgenketten“ (2012) über „vererbte Ängste“ („vererbt“ ist hier nicht im biologischen Sinne gemeint). Den Begriff „Sorgenketten“ möchte ich gerne in Bezug auf meinen Vater benutzen. Der Alltag meines Vaters ist von Sorgenketten bestimmt; selbst in seinem hohen Alter plagt er sich damit herum; und sie rauben ihm einen großen Teil seiner Lebensfreude. Nicht nur Felten-Leidel, auch die Autorin Sabine Bode zeigt in ihren beiden Büchern (*„Die vergessene Generation – Die Kriegskinder brechen ihr Schweigen“ und „Die Kriegsenkel. Die Erben der vergessenen Generation“*), wie sich der Zweite Weltkrieg und seine Folgen auf die Psyche und Mentalität der Deutschen auswirken. Es ist bekannt, dass Kriegstraumata von einer Generation an die nächste weitergegeben und dabei von jeder Generation tabuisiert werden. Die Ängste der Kriegskinder werden von den Kriegsenkeln erspürt, auch wenn sie nicht von allen Kriegsenkeln als Belastung erfahren werden. Im Gegensatz zu meinen beiden Geschwistern bin ich stärker davon betroffen. Durch Zufall – oder auch nicht – bin ich auf das Internet-Forum Kriegsenkel[64] aufmerksam geworden und habe Kontakt zu einer Selbsthilfegruppe aufgenommen. Schön, dass in meiner Generation Konflikte aufgearbeitet werden. Schade, dass bei der Kriegskinder-Generation Kriegstraumata allzu oft verschüttet bleiben und

---

[64] http://www.forumkriegsenkel.de

eben nicht aufgearbeitet werden. Meine beiden Omas haben über ihre Vertreibung nur in ganz besonderen Momenten gesprochen. In den Jahren nach dem Krieg, den 40er, 50er, 60er Jahren gab es keine Hilfen und Unterstützung, keine Therapie und Selbsthilfegruppen. Angst und Schrecken wurden verdrängt.

Für die Nachkommen von Flüchtlingen sind typisch: Das Gefühl, niemals anzukommen, nicht zu wissen, wo man hingehört, Sicherheitsdenken, Klammern an Menschen und Besitz, Existenzängste und die Neigung zur Vorratsbildung, das „Hamstern".

Im Zusammenhang mit Kriegstraumata weiß man auch, dass sie bei jedem Menschen zu einem unterschiedlichen Angstniveau führen. Das kann von einem mulmigen Gefühl bis hin zu heftigen Angstwellen mit deutlichen körperlichen Beschwerden reichen. Angst ist ein Überlebensprogramm aus der Entwicklungsgeschichte des Menschen. „Sie gehört zum Leben dazu", sagt Prof. Philipp Hammelstein, Psychotherapeut und leitender Psychologe an der Christoph-Dornier-Klinik in Münster. „Völlige Angstfreiheit wäre ein pathologischer Zustand." Aber Angst kann auch krank machen. Die Grenze zwischen einer normalen – gesunden – und einer pathologischen – krankhaften – Reaktion des Körpers ist schmal. „Die Emotionen, die bestimmte

Situationen auslösen, sind bei krankhafter Angst nicht mehr dem Sachverhalt angemessen", sagt Hammelstein.

„Insgesamt zeigt die Bindungsforschung zeigt, dass die Entwicklung eines Kindes von Anbeginn des Lebens von Interaktionen mit seiner Umwelt abhängt. Das Kind wirkt ebenso auf die Umwelt ein wie diese auf das Kind. Innerhalb dieser Interaktion erfährt der Mensch seine ersten einflussreichen Beziehungserfahrungen, die das Grundmuster für die späteren Beziehungen bilden."[65]

Mein Onkel Willi merkt dazu an: „Es kann aber auch anders kommen. Wenn ein Bub ohne Vater in der Nachkriegszeit aufwuchs - noch dazu als Vertriebener - wobei damals alle Einheimischen nur sagten, wenn irgendwo Lausbuben etwas angestellt hatten, das waren natürlich Flüchtlingskinder. Es wurde nicht zwischen Flüchtlingen und Vertriebenen unterschieden. Der Bevölkerung war das damals nicht klar, denn niemand hatte sie aufgeklärt. Der Unterschied wurde erst Jahrzehnte nach der Vertreibung allgemein bekannt. Viele Leute kennen bis heute den Unterschied nicht. Diese Erlebnisse formen und härten einen jungen Menschen, denn er muss ganz jung selbständig werden und sich wehren können. Mit solchen Erlebnissen kann man entweder selbstbewusster werden oder man geht unter."

---

[65] Bärbel Wardetzki: Ohrfeige für die Seele. Wie wir mit Kränkung und Zurückweisung besser umgehen können, S. 103, München 2000.

Meine Taunus-Oma hat bis ins hohe Alter hinein immer dafür gesorgt, dass ihre große Familie zusammenhält und es keine Streitereien gibt. Oftmals war dies aber nicht einfach zu bewerkstelligen. Ich glaube, dass meine Oma dieses starke Verlangen nach Beschützt- und Behütetsein als Folge der Kriegswirren entwickelt hat.

Die Familie meiner Mutter sind Vertriebene aus dem Böhmerwald. Die Vertreibung führte sie nach Langenselbold bei Hanau. Meine Oma und ihre vier Kinder waren beim ersten Transport dabei, der vorwiegend aus kinderreichen Familien und alten Menschen bestand. Die zuvor ausgeplünderten Vertriebenen wurden zum Bahnhof getrieben und dort in vollgepferchte Viehwaggons verladen – jede Person nur mit Handgepäck und kleinem Reisegeld. „Wie aus einem Munde erklang beim Anfahren des Zuges das Böhmerwaldlied ‚Tief drin im Böhmerwald' und alle weinten bittere Tränen" – diese Erinnerung ist dem Tagebuch: „Kriegsende '45 und Neubeginn im Bayerischen- und Böhmerwald" von Sepp Sager entnommen. Dieses Heimatlied begleitete auch meine Oma ein Leben lang – nicht nur an ihren Geburtstagen, auch bei ihrer Beerdigung wurde es gespielt. Es ist auch überliefert, dass die Sudetendeutschen nach dem Anfahren der Züge die ihnen aufgezwungenen Armbinden mit dem Kennzeichen „N" für nèmec (Deutsch) aus den Zügen warfen.

Meine beiden Eltern haben also ihre Wurzeln verloren. Ich bin in Frankfurt-Hausen aufgewachsen. Der Ort ist mir nie eine Heimat geworden. Umso mehr erfreut es mich, dass ich mich in der niederbayerischen Umgebung von Vornbach glücklich fühle. Und es freut mich sehr, dass Thomas dieses Gefühl mit mir teilen kann.

Heute schaue ich aus dem Fenster der Ferienwohnung: Vornbach liegt im Schneezauber. Ich genieße das Schneetreiben und die schönen Ausblikke. Alles ist weiß, und Flocken fallen auf die Erde nieder. Die Liedzeilen „Schneeflöckchen, weiß Röckchen, jetzt kommst du geschneit" kommen mir in den Sinn. Wie wir doch lebenslang von Kindheitsgefühlen geprägt bleiben.
Das Gedicht „Stufen" erzählt in 22 Zeilen Hesses Leben. Darin geht es auch um das Heimatgefühl. Wie heißt es da gleich?

Wir sollen heiter Raum um Raum durchschreiten,
An keinem wie an einer Heimat hängen,
Der Weltgeist will nicht fesseln uns und engen,
Er will uns Stuf' um Stufe heben, weiten.

Hesse ist ein ruheloser Mensch gewesen und hat an den verschiedensten Orten gelebt. Sein Eheleben-Dasein kannte keine Beständigkeit. Insgesamt war er dreimal verheiratet. Hesse lebte bis zu seinem Tod mit seiner dritten Frau Ninon Dolbin in Montagnola; und auch durchaus gesellig. „Die Suche nach Heimat ist bei Depressiven ja stark vorhanden", schreibt Sonja Müseler von der Telefonseelsorge in Berlin.[66] „Rituale geben Halt und Struktur, die der Depressive dringend braucht. Sie entlasten auch, weil der Druck nach individueller Sinnhaftigkeit in ein größeres Ganzes eingebettet wird."

Ein Heimatgefühl kann wachsen, wenn Betroffene beispielsweise in psychosozialen Einrichtungen eingebunden sind, aber auch beispielsweise eine Kirchengemeinde kann eine „Verwurzelung" ermöglichen, die die Betroffenen stützen kann. Die Verwurzelung an einem Ort hat sich in den letzten Jahrzehnten aufgrund einer zunehmenden Mobilität und der damit einhergehenden fehlenden engen Einbindung in eine „Gemeinschaft" verändert. Für Prof. Beate Mitzscherlich steht das in Zusammenhang mit der Zunahme von Depressionen.[67]

Meine Haltung zum Thema Heimat hat sich im Laufe der Jahre weiterentwickelt. Für das Finden einer Heimat ist zweierlei nötig: Den Ort finden und erfühlen; zu sich selbst zu finden. Das Themen-Heft „Publik-Forum EXTRA" zum Thema Heimat bietet Lesenswertes wie folgt: „Heute erlebt das Wort »Heimat« eine Renaissance. Heimat muss sich nicht mehr an Ideologien messen, muss keine Nationalstaaten mehr begründen, keine Fremden mehr aus-

---

[66] epd-Dokumentation 41/2008.

[67] Vortrag auf einer Tagung der Evangelischen Akademie zu Berlin, Schwanewerder, 6.-8. Juni 2008, „Wurzeln schlagen. Mobilitätsanspruch und Sehnsucht nach Beheimatung", epd-Dokumentation 41/2008.

grenzen. Wo der Mensch zum Weltbürger wird, weil die Globalisierung ihn aus seinem Mikrokosmos reißt, entwickelt sich ein neues Bedürfnis nach Behaustsein. Viele Menschen bewegt eine einfache Frage: Wo gehöre ich hin? Heimat: Das ist der Ort, an den die Seele immer wieder zurückkehren kann. Und so schreiben die Autorinnen und Autoren dieses EXTRAs über das Glück, Heimat zu haben – oder die Sehnsucht, sie endlich zu finden."

Kürzlich habe ich in dem Diakonie magazin 4/2012 gelesen, dass Veränderungen im Leben Mut brauchen. „Veränderung macht Angst. Mut ist: etwas zu tun, obwohl man Angst hat und Schmerzen bewusst anzunehmen, weil man daran wächst." Und Margot Käßmanns Aussage auf einer Postkarte gelesen: „Mut kann bedeuten, einen Kreislauf zu durchbrechen. Zu fragen: Was hält mich eigentlich zurück? Warum bin ich so ängstlich?"

Zum Thema Mut habe ich auch bei Franz von Assisi Aussagen gefunden:

(www.juttapoppe.bolgspot.de/2013/04/mut-franz-von-assisi.html):

MUT

Was keiner wagt, das sollt ihr wagen
Was keiner sagt, das sagt heraus
Was keiner denkt,
das wagt zu denken
Was keiner anfängt, das führt aus
Wenn keiner ja sagt, sollt ihrs wagen
Wenn keiner nein sagt,
sagt doch nein
Wenn alle zweifeln, wagt zu glauben
Wenn alle mittun, steht allein
Wo alle loben, habt Bedenken
Wo alle spotten, spottet nicht
Wo alle geizen, wagt zu schenken
Wo alles dunkel ist,
macht LICHT.

Der Titel meines Buches lautet:

Ich mach auch mein Ding.

Das bedeutet für mich auch, dass Angst immer zu meinem Leben gehören wird. Ich habe aber gelernt, mich ihr zu stellen und nicht wegzuschauen. Und so wachse ich mit ihr und mach mein Ding. So lässt sich meine Stimmung heute nach all der produktiven Arbeit des Aufschreibens erfassen.

Für Thomas:

Wir teilen Momente des Notleidens. Liebe wächst nicht nur aus glücklichen Stunden der Verbundenheit. Sie muss auch schmerzliche aushalten können. Eine Klientin aus der Tagesstätte fragte mich kürzlich bei einem Besuch im Burgcafé, als ich ihr meine Leidensgeschichte erzählt hatte: Wie hat dein Mann all das ertragen? Ja, das frage ich mich in Erinnerung an das Geschehene auch. Ich vermag das nicht in Worte zu fassen. Als Kranke habe ich mich oft selbst für eine Zumutung für die Welt gehalten. Ich habe mir und anderen das Herz gebrochen.

Lieber Thomas, du hast mir das größte Geschenk gemacht. Du bist trotz meiner Erkrankung und dem vielen Leid an meiner Seite geblieben.

– D A N K E –

Thomas, Du sollst als Angehöriger einen Platz am Schluss dieser Aufzeichnungen eingeräumt bekommen:

Korfu, Insel des Nebels

Thomas denkt in Erinnerung an die versuchte Selbsttötung seiner Frau spontan an eine Aufzeichnung aus seinem Reisetagebuch. Er beginnt mit einem Urlaubstag auf Korfu, viele Jahre zuvor, als für Martina (und ihn) die Welt noch in Ordnung war.

Wir zwei besuchten auf Korfu die Familie von Martinas Freundin Julia, den Lebensgefährten Max und die Kinder David und Helena.

Die Ferne lag im Dunst. Es war der erste Morgen auf Korfu. Die bewaldete Landschaft in der Ferne war von vielversprechenden warmen Nebeln verhangen. Kaum Farben waren zu erkennen; schales Sonnenlicht und die Vorfreude auf den blauen Himmel ließen eine gute Stimmung aufkommen. Keine Stimmen, nur Hunde und Hähne in der Ferne – magisch fesselnd. Auch Martina war von dieser Faszination eingefangen und machte einen glücklichen Eindruck. Es war der erste Urlaubstag.

Heute war Familientag angesagt. Um 10 Uhr holte uns Julia zum Frühstücken im Landhaus ab. Auf dem Weg dorthin hielt Julia an einer unscheinbaren Taverne an, um uns ein vielsagendes Schild zu zeigen: Good people are welcome.

Durch Julias Kontaktfähigkeit kamen wir mit dem Inhaber ins Gespräch, der uns zu einem Ouzo einlud. Ein charmanter alter Grieche, der noch ein sehr jugendliches Gesicht hatte. Die beiden Frauen fanden den Oldie ganz entzückend. Er war sicher einst ein flotter Adonis gewesen; jetzt besaß er die Lebensweisheit des weitgereisten Griechen: Liebe, Freundschaft, Zuneigung und Entschleunigung des Lebens. Und irgendwann einmal bei sich ankommen.

Das Haus unserer Freundin lag in den Olivenhainen, abseits der Hauptstraße. Ein paar Hühner der betagten Nachbarin, Katzen, ein junger Hund und das Bild einer „Villa Kunterbunt" waren unser erster Eindruck, als wir auf das malerische Gelände kamen. Es war angenehm schattig, vor dem Haus stand ein alter knorriger Olivenbaum, es blühte und summte, es war friedlich. Einige Kinderspielsachen und ein unfertiges Ölgemälde fanden unser Interesse. Während des griechischen Frühstücks erfuhren wir von Julia die Neuigkeiten und was so in Korfu läuft.

Mit Julias Kindern verstanden wir uns gut. Max, Julias Partner, war auf seiner Tauchbasis, um die Drachmen zu verdienen. Wir lernten ihn schon

„Have a cigar, Adonis – The god of beauty got the blues"
– Illustrator Andreas Risse –

vorab auf einem Video kennen, das uns David unbedingt zeigen wollte. Max bei einem imaginären Schwertkampf – er ist ein Kriegertyp.
Auf einem anderen Video zeigte uns Julia einen Film aus ihrem afrikanischen Leben in Kenia. Es war ihr erstes Auswanderungsziel gewesen. Wir schrieben zu dieser Zeit auf Korfu das Jahr 1997: Martina und ich waren seit nunmehr fünf Jahren ein Paar. Unser Leben war geprägt von Arbeit und Urlauben. Im Jahr 2000 waren wir das letzte Mal bei Julia auf Korfu zu Besuch.

Einige Veränderungen in der Arbeitswelt und in unserer Gesellschaft zeichneten sich ab dem Jahr 2000 ab. Man sprach von der Hängematte, in der wir Deutschen lebten, und davon, dass ein Ruck durch die Gesellschaft gehen müsse. Das Klima in der Arbeitswelt wurde frostiger, und dann kam auch bald der Euro und brachte viele ungeahnte Veränderungen mit sich. Wir schwammen mit und ahnten nicht, welche Einschnitte durch diesen „Ruck in der Gesellschaft" auf viele von uns zukommen würden. Diese Veränderungen kamen, jeder kennt sie. Am Jahresende 2003, pünktlich zu Weihnachten, erhielt ich meine Kündigung – eines bis dahin sicher geglaubten Arbeitsplatzes. Was folgte, war für mich eine Neuorientierung am Arbeitsmarkt mit dem Ergebnis, dass ich mich Anfang 2006 zur Selbstständigkeit entschloss. Die einst seriösen Unternehmen nutzten die Lage und arbeiteten mit

Free Lancern oder Zeitarbeitsfirmen, um aus ihrer eigenen Krise herauszukommen.

Es kam die große Zeit der Zeitarbeitsunternehmen – eine einschränkende Entwicklung für Arbeitnehmer und ihre Angehörigen. Es gab bestenfalls Arbeitsüberlassungsverträge mit erheblichen Nachteilen für die Arbeitnehmer. Gab es keine Arbeit, kam es ganz schnell zur Kündigung.

„Yes, we can". Amerika lässt grüßen, und in Deutschland steigt in diesen Jahren die Zahl der psychischen Erkrankungen um ein Vielfaches an. (Statistisch belegt!) Harte Zeiten erfordern harte Maßnahmen. Für den einen oder anderen gar kein Problem, diese Phasen zu überbrücken. Was ist aber aus den älteren und etwas labileren Menschen in diesen Zeiten geworden? Es kommt das Jahr 2007, in dem sich auch für meine Frau berufliche Veränderungen ankündigen. Im Jahr 2008 kommt der große Einschnitt für Martina. Viel Angst hat sich aufgestaut, Angst vor der Zukunft, Angst vor dem Versagen. Unbewältigte Angst, die aus der Vergangenheit resultiert.

Es kam nun für Martina auch die Zeit, in der es hieß: Nehmen Sie Ihren Hut - oder nehmen Sie diese neue Stelle. Welch ein Segen, man hat nicht alle Tage so viel Glück und bekommt mit seiner Kündigung gleichzeitig einen neuen Arbeitsplatz bei einem Tochterunternehmen angeboten. Aber passt der Job auch zu einem?

Dazu ein Zitat von dem von mir sehr geschätzten Eugen Roth aus dem Buch

„Ein Mensch gilt auf der Welt als gut“:

Prüfungen

Ein Mensch gestellt auf eine *harte* Probe,

Besteht sie, und mit höchstem Lobe.

Doch sieh da: es versagt der gleiche,

Wird er gestellt auf eine *weiche*!

Ich denke, das passt sehr gut zu Martinas ungewolltem Arbeitsplatzwechsel. Veränderungen sind gut, aber sie müssen auch passen.

Nach Martinas Arbeitsplatzwechsel stellten sich nach kurzer Zeit nicht mehr kontrollierbare Angst-Attacken ein. Aus dieser Phase kam sie nicht mehr heil heraus. Es war ihr Untergang. Sie wurde Anfang August 2008 – einige Wochen nach ihrem Arbeitsplatzwechsel – sehr krank und musste Anfang September 2008 in eine Psychiatrische Klinik. Es folgte für sie ein ungemein harter Leidensweg. Angst gepaart mit einer schweren Form von Depression; später kamen noch massive Wahnvorstellungen hinzu. Ich hätte nie gedacht, dass meine Frau so krank werden könnte. Ich war selbst schon einmal in einem Tief, doch diese Krankheit mit ihren Abgründen ist unvorstellbar für einen Außenstehenden. Es fällt mir schwer darüber zu reden, aber es ist auch für mich als Angehörigen wichtig, das Erlebte und Gehörte zu verarbeiten. Viele Angehörige, Freunde und Bekannte fragen: Wie konntest du das alles verkraften? Und ich höre, dass in diesen Situationen Ehen zerbrechen oder gar der Ehepartner selbst erkrankt. Ich erinnere mich zurück an Martinas Freude, als ihr Arbeitgeber ihr den neuen Arbeitsplatz angeboten hatte; und an ihren Elan, um das alles anzugehen. Doch es kam ganz anders...

In der gesamten Zeit der Erkrankung habe ich mich in erster Linie um Martina gekümmert. In Gesprächen mit Familienmitgliedern und Freunden versuchte ich, das Ganze zu verarbeiten. Doch bin ich mit meinen Gefühlen alleine geblieben. Mit Interesse haben viele zugehört und erstaunlich viele haben sich ihrerseits bei diesem Thema mir gegenüber geöffnet. Ich habe in dieser Phase erfahren, welche Not vor anderen versteckt wird und unter was für einem großen Druck viele Menschen stehen. In den Gesprächen konnte ich das im Einzelnen nicht bewerten; und habe den Gesprächspartnern Mut zugesprochen.

Einige hatten zunächst große Vorbehalte gegenüber dem Tötungsversuch und äußerten teilweise sehr archaische Ansichten. Nach Diskussionen und Informationsgesprächen waren diese unangenehmen Meinungen zwar vom Tisch, aber wahrscheinlich nicht aus den Köpfen.

Während der langen Krankheitsphase meiner Frau, die ich als Selbstständiger erlebt habe, ist mir sehr viel Verständnis und Unterstützung von meinen Kolleginnen und Geschäftspartnern entgegengebracht worden. Das tat gut!

Den Besuch einer Selbsthilfegruppe habe ich nicht in Betracht gezogen. Erst nach dem Suizidversuch von Martina habe ich Rat bei einer Selbsthilfegruppe für Angehörige psychisch kranker Menschen der Diakonie Hochtaunus gesucht. Ich bin dort freundlich und kompetent aufgenommen worden. In den Gesprächskreisen konnte ich jedoch keinen Trost oder Hilfe finden. Im Gegenteil: Das Leid und die Not der anderen betroffenen Angehörigen haben mich eher noch zusätzlich heruntergezogen. Ich war über die Vielzahl von Betroffenen und deren Leidensgeschichten geschockt. So habe ich mich entschlossen, dort nicht mehr hinzugehen.

Über die gesamte Zeit habe ich die Genesung und eine Anschlusstherapie meiner Frau gefördert. Und die Zeit, wie man so schön sagt, heilt alle Wunden. Ich bin entrüstet, mit welcher Vehemenz die Krankenkassen in den ersten Wochen über die Psychiatrien Druck auf die Patienten ausüben. Mit meiner heutigen Erfahrung sehe ich eine Mitverantwortung bei der Krankenkasse, die der Patientin gleich am Anfang der akuten Erkrankung nicht genügend Zeit zur Genesung eingeräumt hat. Die Psychiatrie versuchte, nach den obligatorischen zwölf Wochen Krankschreibung die Patientin über eine Wiedereingliederung in die Arbeitswelt zu integrieren. Selbst ich als Laie wusste, dass meine Frau aufgrund ihrer psychischen Erkrankung zu diesem Zeitpunkt nicht in der Lage war, ihre Arbeit wieder aufzunehmen. Durch diesen Druck – so mein Eindruck – wurde die Krankheit erst richtig in Schwung gebracht. Leider werden dem Angehörigen – auch auf Anfrage – keine Alternativkliniken genannt, da die Klinik selbst den Patienten gerne in Behandlung behalten möchte. Kurz vor dem Selbsttötungsversuch riet mir eine Krankenschwester aus der Psychiatrie, in der meine Frau stationär behandelt wurde, vertrauensvoll, eine Verlegung in eine Spezialklinik zu forcieren, da in der dortigen Klinik nicht die notwendigen Kapazitäten für eine erfolgreiche Therapie zur Verfügung standen.

Eine Verlegung in eine andere Klinik war von mir angedacht. Doch dann folgte die Kurzschlusshandlung! Heute – über drei Jahre später und ziemlich genau fünf Jahre seit Beginn der Krankheit , erkenne ich bei meiner Frau eine Genesung. Die Erde dreht sich weiter. Das Ende ist fern. Martina, ich freue mich, dass Du wieder zurückgekommen bist.

Meine Wünsche für Reformen im Psychiatriebereich:

Mit einer Forderung schließe ich mich der Arbeitsgemeinschaft der Angehörigen psychisch kranker Menschen in Frankfurt e.V. an.

1. Die Forderung lautet: „die Schaffung eines psychiatrischen Notdienstes, der rund um die Uhr erreichbar ist. So wie es einen ärztlichen Notdienst gibt (mit einer festen Notrufnummer), der bei akuten Situationen wie Herzinfarkt oder Schlaganfall zu dem Betroffenen nach Hause kommt, so sollte es auch einen psychiatrischen Notdienst geben, der in Krisensituationen bei Bedarf auch Hausbesuche macht."[68]
2. Zudem fordere ich die Modernisierung und/oder den Neubau von Psychiatrischen Kliniken. Weg mit den alten Kästen, die an Knäste erinnern.
3. Mehr Anerkennung und bessere Bezahlung für Psychiater, Psychologen, Therapeuten und Angestellte in der Pflege.
4. Bessere Therapie und mehr zentrale Einrichtungen für die Nachsorge.
5. Keine Zwangsbehandlung gegen den Willen von Angehörigen und gegen den Willen der Kranken.
6. Die Themen Seele, Mitmenschlichkeit und Psychologie gehören als Schulfach in das letzte Schuljahr, um zukünftig eine gesündere Gesellschaft zu haben.

---

[68] Treffpunkte. Frankfurter Zeitschrift für Gemeindepsychiatrie, 2/2013, S. 21.

Jede Krise eine Chance

Lebenskrisen „[...]werden notwendig, um eine Entwicklung zu ermöglichen. In ihnen zeigt sich, wie viel Lebensenergie da ist und wohin der Lebensweg führt. ‚Krise', so schreibt Max Frisch in seinem Tagebuch, ‚Krise ist ein kreativer Zustand, man muss ihm nur den Beigeschmack der Katastrophe nehmen'."[69] Eine durchlebte Krise eröffnet neues Leben. Das ist die gute Botschaft des Propheten Jeremias, von der die alttestamentliche Geschichte zu berichten weiß. „Jede Krise eine Chance", damit befasst sich auch eine Predigt von Friedhelm Grund. Er hat sie am 20. Oktober 2012 im Kirchsaal der Hohe Mark für die Klinik-Patienten gehalten (Anmerkung des Seelsorgers: die Predigt stammt aus keinem Buch). An dieser Stelle wird sie mit freundlicher Genehmigung in Auszügen wiedergegeben.

„Hans im Glück", so heißt ein bekanntes Märchen der Brüder Grimm. Gibt es so etwas wie Glück im Unglück? So ein bisschen Hans ist ja in jedem von uns. Wir alle starten mit einem bisschen Gold, einer ganz passablen Grundausstattung, ins Leben, und dennoch träumen wir ständig von einem Leben, das anders ist als das, was wir gerade haben. Wir verlassen unsere Eltern. Wir ziehen aus. Wir ziehen um. Wir wechseln Partner. Wir erfinden uns in aller Regel alle Jahre neu. Aber machen uns die vielen Tauschgeschäfte im Leben wirklich glücklich? Wie oft erleben wir uns im Leben als Betrogene unse-

---

[69] Aus: „Stay wild statt burn out", S.40.

rer Sehnsüchte? Wie oft kommen wir da an, wo wir eigentlich gar nicht hin wollten? Von dem Klumpen Gold bleibt am Ende noch nicht einmal ein Schleifstein.

Der Prophet Jeremia beschreibt die Situation von Menschen, die in ein fremdes Land verschleppt wurden. Menschen weit weg von zuhause. Weggerissen von dem, was ihnen vertraut war. Ausgeliefert an eine Umgebung, die ihnen fremd blieb. Aber man fragt sich schon, wenn man so unbehaust in der Fremde lebt, was nützt einem da noch der Glaube? Was nützt einem der Glaube, wenn einem der Boden unter den Füssen weggerissen wird? Wenn man den Platz nicht findet, der der richtige ist? Wenn man da, wo man lebt, nicht richtig daheim ist?

Vielleicht ist unsere Lage der Lage der Juden in Babylon gar nicht so unähnlich. Vielleicht fühlen wir uns auch oft abgeschnitten von Menschen, die uns wichtig sind. Missverstanden von Angehörigen, die nicht verstehen, was los ist. Vielleicht fragen wir uns auch manchmal, was ist der Glaube eigentlich wert, in einer Welt, die ganz andere Interessen hat? In einem Alltag, in dem ich mich von Gott so verlassen fühle. Wer sich heimatlos und verlassen fühlt, der tut sich schwer mit einem Glauben an einen menschenfreundlichen Gott. Der steht immer in Gefahr, abzurutschen in Resignation und Verbitterung.

Jeremia kann sich in die Situation dieser Menschen hineinfühlen. Er weiß, wie das ist, wenn man den Boden unter den Füßen verliert. Wenn man sich nur noch von negativen Stimmungen treiben lässt. Wenn man die guten Seiten des Lebens nicht mehr sehen kann. Und in solchen Situationen ist es wichtig, eine Spur zu finden, die unserem Leben wieder eine neue Richtung gibt. Einen Steuermann zu haben, der uns wie ein Lotse durch die Untiefen des Lebens leiten kann.

Wie sieht eigentlich unsere babylonische Gefangenschaft aus? Gefangen in einer unglücklichen Beziehung? Abgeschnitten von denen, die mir einmal viel bedeutet haben? Ungewollt Single? Ein Leben ohne Selbstachtung und Selbstsicherheit? Chronisch krank? Es fällt uns schwer, zu akzeptieren, dass nicht Umstände, sondern Gott uns von Jerusalem nach Babylon führen ließ. Dass auch das ungewollte Schicksal von Gott gewollt sein kann. Jeremia muss Schwerstarbeit leisten bei seinen Landsleuten. Er sagt: Eure Situation hier in Babylon, das ist kein Zufall. Das ist Gott, der Euch hier hingeführt hat. Und er geht sogar noch einen Schritt weiter. Jeremia fordert die Menschen auf, nicht bei dem stehen zu bleiben, was einmal war. Weißt du noch damals? Das unbeschwerte Leben unter der Sonne Jerusalems, das ist alles vorbei. Jeremia sagt: Jerusalem, das war gestern, wichtig ist heute. Hört auf zu jammern, arrangiert Euch mit dem, was geblieben ist. Genießt das, was ihr hier habt.

Vielleicht ist dem einen oder anderen unter uns klar geworden: Da wo ich eigentlich herkomme, dahin kann ich gar nicht zurück. Meine Mutter blockiert meine Entwicklung zu einem eigenständigen Menschen. Mein Arbeitsplatz nimmt mir die Luft zum Atmen. Mein Partner tut mir nicht immer gut. Das Leben heute kann nicht im Gestern gelebt werden. Wir brauchen Mut und Fantasie, uns von dem zu lösen, was hinter uns liegt. Wir brauchen Mut und Fantasie, Neues zu wagen. Lebensräume aufzusuchen, die uns bisher fremd waren. Vielleicht ein Umzug. Eine berufliche Veränderung. Ein Gemeindewechsel. Lasst uns aufhören, in der Vergangenheit zu leben, und von dem zu träumen, was einmal war. Die Vergangenheit kommt so nie wieder. Und, wenn wir ehrlich sind, war es gerade diese Vergangenheit, die uns in manche Krise hineingeführt hat, die wir heute beklagen.
Kann man sich auf etwas Neues einlassen, wenn die alten Wunden noch nicht verheilt sind? Was mache ich denn mit all den negativen Gefühlen, die mich lähmen, die meinen Neuanfang blockieren? Ich glaube, dass Gefühle eine ganz entscheidende Blockade sind, Neues zu wagen. Ich glaube sogar auch, dass wir Gefühle nicht ändern können. Wir können Gefühle nicht ändern, aber wir können lernen – das ist auch die Empfehlung der Heiligen Schrift – neu zu denken. Und wir können ein neues Verhalten einüben, und indem wir unser Denken und unser Verhalten ändern, ändern wir auch unsere Gefühle. Fangen Sie an, neue Gedanken zu denken über ihr

Leben. Fangen Sie an, neue Schritte zu gehen. Und Sie werden merken, dass Ihre Gefühle sich umstellen.

Jeremia begegnet der Niedergeschlagenheit mit Ermutigung. Er sagt, gebt den negativen Gefühlen in Euch nicht Raum. Gott knüpft die Fäden so, dass das, was verwirren will, in ein stimmiges Bild verwandelt werden kann. Bei ihm laufen alle Fäden zusammen. Er kann auch einem sinnlos erscheinenden Leben, einem Leben in Krankheit, einem Leben in der Krise, einen Sinn geben. Im Chinesischen gibt es gar kein eigenes Wort für die Krise. Es gibt zwei Schriftzeichen, die nebeneinandergestellt werden. Das eine steht für CHANCE, das andere für GEFAHR. Krise kann eine Gefahr sein, dass du abrutscht und nicht mehr auf die Beine kommst. Aber es kann auch eine Chance sein, neu durchzustarten.

Wir können in der Krise auch aufbrechen in ein neues Leben. Wichtig ist, dass Sie Ihre Erkrankung nicht als Schlusspunkt einer Entwicklung sehen, sondern sagen: Vielleicht kann ich jetzt durch diesen Aufenthalt auch etwas grundsätzlich Neues lernen und aufbrechen in ein neues Leben.

Ich könnte viele Beispiele von Menschen erzählen, die in die Krise hineingeführt wurden, um etwas Neues zu entdecken. Und dieses Neue nicht nur in der Phantasie hin und her zu schieben. Fangt an und gestaltet das neue Leben. Gott ist da, wo wir leben. Gott lässt sich finden, wo der ganz normale Alltag sich abspielt. Krisenzeiten sind Reifezeiten des Lebens. Sie eröffnen die Chance, etwas ganz anderes, etwas nicht für möglich Gehaltenes zu beginnen.

Wenn Gott meine Schritte lenkt, dann kann mir auch die Fremde zur Heimat werden. Gott ist mitten drin in einem Alltag, wo ihr euch begrenzt, unter Druck, unglücklich fühlt. Vielleicht haben Sie sich schon einmal gefragt, warum es in dieser Klinik so viele Therapien gibt, die Arme, Hände und Füße in Bewegung bringen? Eine Antwort ist, alle diese Angebote können helfen, wieder zurückzufinden in das alltägliche Leben. Dahinter steht die Erkenntnis: wer den Alltag dauerhaft verdrängt, kann nicht gesund werden. Das ist auch der tiefere Sinn in Grimms Märchen vom „Hans im Glück“.

Wir sollen uns nicht immer mit dem beschäftigen, was wir nicht haben. Wir dürfen das leben und gestalten, was uns geblieben ist. Auch wenn sich das Vorhandene so unerlöst anfühlt. Und in diesem Sinne wünsche ich Ihnen, dass Ihre Krise nicht das Hindernis ist, sondern dass ihre Krise nicht das Hindernis ist, sondern das dies auch die Chance ist, neu aufzubrechen.

„Im Traum fliegt

gstträume begleiten mi
schaue in den Spiegel u
ld darin nicht sehen.
h fahre in einer Lok, a
nterwegs treffe ich noch
nun merke ich, dass ich
fahren bin, noch dazu
n Zugang zum Gleis in
uss mit einem Aufzu
hwer zugänglich. Es ge
ll. Angst, Angst, A
ren, alles offen. Ent
hen. Was zurück bleib
ngstgefühl, dunkel und t
ergessen.

e Seele aus."

nicht nur in dieser Nacht

kaum mein eigenes Spiegel-

verrostet, dreckig.

bekanntes Gesicht.

die falsche Richtung

ne Fahrschein. Suche

nie Heimatrichtung.

dort hin. Der Weg ist

in die Tiefe, grauen-

st. Keine geschlossenen

hließe mich, wegzu-

Ein tiefgehendes

. Aufstehen und alles

„In jeder Krise liegt eine Chance",

so resümiert der Klinik-Seelsorger. Die Schlussfolgerung, die ich für mich daraus ableite: Ich will mich nicht mehr in meiner Vergangenheit aufhalten. Ich will im Jetzt leben und meinem Leben eine neue Richtung geben. Das Niedergeschriebene soll mir dabei eine Hilfe sein. Und ich hoffe, dass die weitverbreitete Ärzte-Meinung „Einmal Krise immer Krise" bei mir nicht Einzug hält. Und wenn doch – ich weiß inzwischen, dass ich gelassener damit umgehen werde, weil ich mir neue Wege und Nischen erschlossen habe.

AUSBLICK

Das Jahr der Federn

Im Jahr 2013 habe ich alle Kraft in das Entstehen meines Buches gesteckt: Ich habe daran gearbeitet,

mein Ding zu machen.

Mit offenen Augen bin ich durch das Jahr geschritten. Auf diesem Weg sind mir eine Menge Federn förmlich vor die Füße gefallen. Und kürzlich habe ich sogar den vertrockneten Kopf einer Krähe gefunden. Ich habe ihn vor mir liegen sehen. In der Annahme, ein Stück Rinde in die Hand zu nehmen, habe ich ihn aufgehoben. Was soll mir das alles sagen? Eine Psychologin vom

Zwei von den vielen Federn, die ich im Jahr 2013 gefunden habe

Haus Regenbogen in der Eifel hat mir meine Frage beantwortet: „Federn und Knochen und andere Tierteile sind Geschenke der Tierwelt an uns! Die Krähen sind sehr schlau und machen auf jeden Fall ihr Ding! Es ist also ein Zeichen, das Dir Mut machen soll – noch mehr Mut! Was du findest – z.B. Federn – ist ein Tor zu der jeweiligen Kraft des Tieres. Du kannst auch innerlich mit dem Tier sprechen und es fragen, welche Kraft es bringt."

Seit 2008 habe ich viele Federn gelassen; war förmlich gerupft. Heute stehe ich aufgeplustert vor Ihnen und kann wieder fliegen. Sollen die Federn etwa von Kraft und Mut erzählen?

gesprochen bei der Buchpräsentation
im November 2013

Lektürehinweise

Stichwort: Depression

Bareiter, Katharina: Depression. Rückzug aus dem Leben.
Aufzeichnungen, Fischer Taschenbuch Verlag 1992.

Breit-Keßler, Susanne / Dennerlein, Norbert (Hrsg.): Stay wild
statt burn out – Leben im Gleichgewicht, Gütersloher Verlagshaus
2009.
Anmerkung: Die Broschüre kann im Internet unter http://
www.velkd.de/downloads/burnout.pdf (25.8.2013) kostenlos
heruntergeladen werden.

Brückenschlag, Bd. 29/2013, „Einsamkeit", Zeitschrift im
Paranus Verlag der Brücke Neumünster.

Die Broschüre „Depression – Ein Ratgeber"
gibt Informationen über Depression und Suizidgefahr.
Des Weiteren enthält der Ratgeber einen Fragebogen zum Selbsttest bei psychischen Problemen sowie nützliche Adressen zum Thema Selbsthilfegruppen.

Bestellung bei Bündnis gegen Depression e.V., Düsseldorf
http://www.buendnis-depression.de/infomaterialbestellen. php (25.8.2013). Hier sind auch weitere Informationen über Depression abrufbar.

Desweiteren gibt es dort einen Ratgeber-Bücher, die einen guten und verständlichen Einblick in die Krankheit Depression geben. Ebenso finden Sie hier eine Auswahl an Erfahrungsberichten.
http://www.deutsche-depressionshilfe.de/stiftung/literatur-zudepression.
php (10.9.2013).

Schattendasein: Das unverstandene Leiden Depression (Taschenbuch) von T. Müller-Rörich (Autor), und andere / Springer Verlag, Berlin 2007.
Die Autoren sind selbst an Depression Erkrankte, die sich über das Online-Forum der Deutschen Depressionshilfe kennen gelernt haben." Auf der Info-Seite zum Buch können auch Auszüge heruntergeladen werden:
http://www.schattendasein.info/schatten/schattendasein.htm
(25.8.2013).

Gemeinschaftswerk der Evangelischen Publizistik (Hg.): Depression.
Zum Umgang mit der Volkskrankheit, epd-Dokumentation 41/2008.

In der Broschüre „Psychiatrische Krankheitsbilder“, herausgegeben vom Verein „Hilfe für psychisch Kranke“ Bonn/ Rhein-Sieg (http://www.hfpk.de) (25.8.2013). Auf der Homepage ist für Patienten und Angehörige viel Wissenswertes zum Thema Depression zu erfahren. Insbesondere werden dort auch Initiativen und Materialien über psychische Erkrankungen im schulischen Bereich vorgestellt.

Bundesweite einzige Unabhängige Beschwerdeberatung Psychotherapie kostenlos aus dem ganzen Bundesgebiet dienstags von 12 bis 14 Uhr unter der Telefonnummer 0221 / 16 9 52 14 erreichbar.
Prof. Dr. med. Volker Faust schreibt für die „Arbeitsgemeinschaft Psychosoziale Gesundheit“ viel Wissenswertes über Depressionen: www.psychosoziale-Gesundheit.net
(25.8.2013).

Schwerpunkt: Burnout-Syndrom ausgebrannt, leer und erschöpft. Deutsche Angst-Zeitschrift Nr. 25, 1. Quartal 2004, ISSN 1437-2711
Angst und Depression. Deutsche Angst-Zeitschrift Nr. 58, 2. Quartal 2012, ISSN 1437-2711

Burnout – ein Leitfaden des ifa (Institut für Arbeitsmedizin) http://www.arbeitsmedizin.ch/fileadmin/public/Dokumente/ Burnout/Burnout_%20Broschuere_sa.pdf (15.9.2013).

Stichwort: EX-IN-OWL

Ansprechpartnerin u.a. Sibylle Prins: http://www.ex-in-owl.de/download/11-02-15ex+in-flyer+neu.pdf (25.8.2013).
Innovationen im Bereich der Psychiatrie werden u.a. in der Zeitschrift »Soziale Psychiatrie« vorgestellt: http://www.dgspev.de/die-soziale-psychiatrie.html
Die Homepage enthält auch ein Ausgabenarchiv: Auf dieser Seite finden sich Inhaltsangaben sowie ausgewählte Artikel vergangener Ausgaben. Herausgeber: Deutsche Gesellschaft für Soziale Psychiatrie e.V. (dgsp).

Felten-Leidel, Beate: Hasenherz und Sorgenketten. Mein Leben mit der Angst; BALACE buch + medien verlag 2012.
Anmerkung: Link zur WDR-Sendung „Kölner Treff" vom 3.Juni 2013 (die Autorin kommt gegen Ende zu Wort): http://www.psychiatrie-verlag.de/startseite/news/date/2013/june/03/news-article/beate-felten-leidel-beim-koelner-treff.html (25.8.2013).
Frances, Allen: Normal – Gegen die Inflation psychiatrischer Diagnosen, DuMont Buchverlag 2013 (http://www.antipsychiatrieverlag.de/versand/titel/frances.htm) (25.8.2013).

Stichwort: Gesetze

Psychisch-Kranken-Gesetz (oft als PsychKG abgekürzt): http://de.wikipedia.org/wiki/Psychisch-Kranken-Gesetz (15.8.2013).

Arten der Zwangsbehandlung: http://de.wikipedia.org/wiki/Zwangsbehandlung#Arten_der_Zwangsbehandlung (15.8.2013).

Freiheits- und Schutzrechte der UN-Behindertenrechtskonvention und Zwangsmaßnahmen in der Psychiatrie / Diakonie – Texte – Handreichung – 02.2013 http://www.diakonie.de/media/Text-02_2013_Freiheits-und-Schutzrechte.pdf (15.8.2013).

Giger-Bütler, Josef: Depression ist keine Krankheit – Neue Wege, sich selbst zu befreien, Beltz Verlag 2012.

Green, Hannah: Ich hab dir nie einen Rosengarten versprochen, Rowohlt Taschenbuch Verlag, 11. Aufl. 2011.

Hartwig Hansen H., Zechert C., Bremer F. (Hg.); Herr Dörner kommt mit dem Zug. 80 Jahre – 80 Begegnungen, eine Kooperation von Paranus Verlag, Psychiatrie Verlag und Schattauer Verlag, Herbst 2013.

Stichwort: Heimatvertriebene/Heimat

Sager, Sepp: TAGEBUCH: Kriegsende '45 und Neubeginn im Bayerischen- und Böhmerwald (zwischen Donau und Böhmen); Selbstverlag, Schönberg 1995.

Sendensky, Ferdinand: Dobischwälder Heimatbuch, Selbstverlag, Stuttgart 1983.
Mitgliederzeitschrift von Alte Heimat – Verein heimattreuer Kuhländler:
http://www.kuhlaendchen.de/ (25.8.2013).

Die Vertreibung der deutschen Bevölkerung aus der Tschechoslowakei.
Sonderausgabe. Eine Dokumentation, 2 Bde., Weltbild 1996. Weiteres dazu siehe auch: http://de.wikipedia.org/wiki/Charta_der_deutschen_Heimatvertriebenen (25.8.2013).

Publik-Forum EXTRA: Heimat. Alles, was der Mensch zum Leben braucht, Verlag: Publik-Forum, 36 Seiten.

Stichwort: Hermann Hesse

„Klingsors letzter Sommer. Auszug aus der Erzählung" in: Lindenberg, Udo / Schnierle-Lutz, Herbert (Hgg.): Mein Hermann Hesse. Ein Lesebuch, S. 165.

Michels, Volker (Hrsg.): Hermann Hesse Tessin. Betrachtungen, Gedichten und Aquarelle des Autors, insel taschenbuch 1494, 1. Aufl. 1993.

Käßmann, Margot: Mehr als Ja und Amen. Doch, wir können die Welt verbessern, adeo Verlag, 04/ 2013.

Käßmann, Margot: Sehnsucht nach Leben, Adeo Verlag 2011.

Stichworte: Kriegskinder/Kriegsenkel

Bode, Sabine: Die vergessene Generation – Die Kriegskinder brechen ihr Schweigen, Klett-Cotta, 5. Aufl. 2013. Weiteres zum Thema unter: http:// de.wikipedia.org/wiki/

Die vergessene Generation (15.8.2013).
Bode, Sabine: Kriegsenkel – Die Erben der vergessenen Generation, Klett-Cotta 3. Aufl. 2009.

Deutsche Angst-Zeitschrift (daz), Nr. 62, II/2013 „'Vererbte' Ängste", Nr. 58, I/2012 „Angst und Depression" (http://www.daz-zeitschrift.de/) (25.8.2013).

Kurzeck, Peter: Ein Sommer, der bleibt. Peter Kurzeck erzählt das Dorf seiner Kindheit, supposé Berlin 2007.

Kurzeck, Peter: Vorabend, fünfter Band seiner großen autobiographisch-poetischen Chronik »Das alte Jahrhundert«, Stroemfeld 2011.

Lindenberg, Udo / Schnierle-Lutz, Herbert (Hgg.): Mein Hermann Hesse. Ein Lesebuch, Suhrkamp Verlag 2008.

Löffler, Constanze / Wagner, Beate / Wolfersdorf, Manfred: Männer weinen nicht. Depression bei Männern: Anzeichen erkennen - Symptome behandeln - Betroffene unterstützen, Goldmann Verlag 2012 Zitiert in: „Faszination Seele" (III/2012, S. 8-9). Weiteres zur Zeitschrift Faszination Seele zu finden unter: http://www.psychiatrie-aktuell.de (25.8.2013).

Lütz, Manfred, „Gedränge auf der Couch", in: chrismon Oktober 2013, S. 40-41.

Matussek, Matthias: Ich mach mein Ding, in: Spiegel 32/2012, S. 125-132.

Stichwort: Medikamente

Diekmann, Barbara / Greve, Nils / Osterfeld, Margret: Umgang mit Psychopharmaka. Ein Patienten-Ratgeber: BALANCE ratgeber, 4. Akt. Aufl. 2013.

Patienten-Ratgeber einer amerikanischen Selbsthilfeorganisation Harm Reduction-Leitfaden zum risikoarmen Absetzen von Psychopharmaka
(Hg.) The Icarus Project und Freedom Center, www.freedomcenter.org (15.9.2013).

Weinmann, Stefan: Erfolgsmythos Psychopharmaka. Warum wir Medikamente in der Psychiatrie neu bewerten müssen, Psychiatrie Verlag, 2. Auflage 2010.

Muhr, Caroline: Depression. Tagebuch einer Krankheit, Fischer Taschenbuch Verlag 1978.

Stichwort: Predigt

Die komplette Predigt mit dem Titel „Jede Krise eine Chance" finden Sie in der Dropbox der Hohe Mark Homepage:

www.klinik-hohe-mark.com öffnen, dann „Seelsorge und Gottesdienste" öffnen, dann „Download-Center - Gottesdienste der Klinik Hohe Mark" öffnen, dann unter 28.10.2012 nachschauen
(25.8.2013).

Roth, Eugen: Ein Mensch gilt auf der Welt als gut. Die schönsten heiteren Verse, Carl Hanser Verlag 2000.

Stichwort: Schizophrenie

Im Februar 2013 wurde im Deutschlandfunk ein Feature zum Thema Schizophrenie ausgestrahlt. Darin kommt Dorothea Buck zu Wort. Der Titel: „Krank oder bloß ganz anders? Schizophrenie. Eine Vergangenheitsbefragung", http://www.dradio.de/dlf/sendungen/dossier/1977798/ (25.8.2013).

Hansen, Hartwig (Hg.): Der Sinn meiner Psychose – Zwanzig Frauen und Männer berichten, Paranus Verlag 2013.

Stichwort: Selbsthilfegruppen

Allgemeines usw.: http://de.wikipedia.org/wiki/Selbsthilfegruppe (25.8.2013).

Bundesverband Psychiatrie-Erfahrener (BPE e.V.) http://de.wikipedia.org/wiki/Bundesverband_Psychiatrie-Erfahrener (25.8.2013).

Bundesverband der Angehörigen psychisch Kranker (BApK). Selbsthilfeorganisation und Solidargemeinschaft von Familien mit psychisch Kranken: Die Homepage biete auch einen Übersicht der Landesverbände von Angehörigen-Gruppen. Außerdem:

BApK Newsletter 12/2013 http://www.psychiatrie.de/fileadmin/redakteure/bapk/infomaterialien/newsletter/2013/newsletter_12_2013.pdf (25.8.2013).

Bundesverband der Angehörigen psychisch Kranker (BApK) http://www.psychiatrie.de/bapk (25.8.2013).

AGUS – Angehörige um Suizid http://www.agusselbsthilfe.de/ (25.8.2013).

Örtliche Gesprächsgruppe für Angehörige von psychisch kranken Menschen http://www.perspektivenev.de (25.8.2013).

Stichwort: Soteria

Aebi, Elisabeth / Ciompi, Luc / Hansen, Hartwig (Hg.): Soteria im Gespräch. Über eine alternative Schizophreniebehandlung,
Paranus Verlag 2013.

Lehmann, Peter / Stastny, Peter (Hg.): Statt Psychiatrie 2, Peter Lehmann Antipsychiatrieverlag, 1. Aufl. 2007.

Stichwort: Suizid

Plath, Sylvia: Die Glasglocke, Bibliothek Suhrkamp Verlag 1968, 42. -45. Tausend 1985.
Der Biograf der Autorin: Dieter Wunderlich http://www.dieterwunderlich.de/Sylvia_Plath.htm (25.8.2013).

Die Michael-Franke-Stiftung bietet für junge Menschen in Krisen qualifizierte Hilfe durch ihre MitarbeiterInnen an. Telefonisch oder persönlich, auf Wunsch auch anonym, kostenlos und ohne lange Wartezeiten: http://www.michaelfranke-stiftung.de/ (25.8.2013).

Ott, Ursula „Er warf sich vor einen Güterzug", in: chrismon 9/2013: http://chrismon.evangelisch.de/artikel/2013/er-warfsich-vor-einen-gueterzug-19621 (15.10.2013). Dort finden sich auch Lesermeinungen zu dem Artikel. Chrismon unterhält auch einen BLOG zum Thema Suizid.

Terzani, Tiziano: Das Ende ist mein Anfang. Ein Vater, ein Sohn und die große Reise des Lebens, Hg. Falco Terzani, 4. Aufl., Goldmann Verlag 2010.

Wardetzki, Bärbel: Ohrfeige für die Seele. Wie wir mit Kränkungen und Zurückweisungen besser umgehen können, dtv, 8. Auflage 2007.

Bildnachweis: Martina E. Büchel
Umschlag - Andreas Risse, Oberursel
Adonis - Andreas Risse, Oberursel
Porträt Peter Kurzeck - Andreas Risse, Oberursel
Autorin - Number One Fotostudio, Oberursel

Notizen

Notizen

Notizen